O LIVRO MÁGICO
DOS CRISTAIS

EMBER GRANT

O LIVRO MÁGICO DOS CRISTAIS

Encantamentos, Rituais e Talismãs para
Amor, Proteção, Prosperidade e Bem-estar

Tradução
Denise de Carvalho Rocha

Editora
Pensamento
SÃO PAULO

Título original: *The Book of Crystal Spells*.
Copyright © 2013 Ember Grant
Copyright da edição brasileira © 2018 Editora Pensamento-Cultrix Ltda.
Publicado originalmente por Llewellyn Publications, Woodbury, MN 55125 – USA – www. llewellyn.com
1ª edição 2018.
2ª reimpressão 2020.
Todos os direitos reservados. Nenhuma parte deste livro pode ser reproduzida ou usada de qualquer forma ou por qualquer meio, eletrônico ou mecânico, inclusive fotocópias, gravações ou sistema de armazenamento em banco de dados, sem permissão por escrito, exceto nos casos de trechos curtos citados em resenhas críticas ou artigos de revista.

A Editora Pensamento não se responsabiliza por eventuais mudanças ocorridas nos endereços convencionais ou eletrônicos citados neste livro.

Editor: Adilson Silva Ramachandra
Editora de texto: Denise de Carvalho Rocha
Coordenação editorial: Roseli de S. Ferraz
Produção editorial: Indiara Faria Kayo
Editoração eletrônica: Mauricio Pareja da Silva
Revisão: Vivian Miwa Matsushita

Dados Internacionais de Catalogação na Publicação (CIP)
(Câmara Brasileira do Livro, SP, Brasil)

Grant, Ember
   Livro mágico dos cristais : encantamentos, rituais e talismãs para Amor, proteção, prosperidade e bemestar / Ember Grant ; tradução Denise de Carvalho Rocha. — São Paulo : Pensamento, 2018.

   Título original: The book of crystal spells
   Bibliografia.
   ISBN 978-85-315-2025-9
   1. Cristais — Uso terapêutico 2. Elixires 3. Energia vital — Uso terapêutico 4. Esoterismo I. Título.

18-15916   CDD-133.2548

Índices para catálogo sistemático:
1. Elixir de cristais : Energização : Uso terapêutico : Ocultismo 133.2548
Iolanda Rodrigues Biode — Bibliotecária — CRB-8/10014

Direitos de tradução para o Brasil adquiridos com exclusividade pela
EDITORA PENSAMENTO-CULTRIX LTDA., que se reserva a propriedade literária desta tradução.
Rua Dr. Mário Vicente, 368 – 04270-000 – São Paulo – SP
Fone: (11) 2066-9000
http://www.editorapensamento.com.br
E-mail: atendimento@editorapensamento.com.br
Foi feito o depósito legal.

Este livro é dedicado à minha amiga, Louise, a única pessoa que conheço que ama pedras, minerais e joias mais do que eu!

Agradecimentos

Escritores, na verdade, nunca trabalham sozinhos. Agradecimentos especiais a Louise e Ellen, por sua assistência durante este projeto (comprar pedras é sempre mais divertido na companhia das amigas!). Obrigada a Elysia Gallo, por seu apoio e conselhos sobre o manuscrito; e muito obrigada à minha mãe e à minha avó, por incentivar, desde a infância, o meu fascínio pelas pedras. E, por fim, a todos que um dia já me trouxeram uma pedra de suas viagens ao redor do mundo, meu muito obrigada. Podem continuar trazendo!

Sumário

Introdução 15
    Sobre as magias e os rituais 16

Um: Preparação para a magia com cristais 21
    Introdução 21
    A limpeza e programação de suas pedras:
    definição e desmistificação 22
    Métodos de limpeza 24
        Elementos 25
        Defumação 25
        Água 26
        Luz do sol ou luz da lua 26
        Terra 27
        Música e sons 27
        Sal 27
        O uso de drusas de quartzo ou outras pedras 27
    Como carregar e dedicar 28
        Métodos para carregar e dedicar um cristal 28
        Outros métodos 29
        Como dedicar drusas de cristal 30
    Como se centrarizar e se ancorar 31
        Ritual de centralização 32
        Ritual de ancoragem 32
    Atividades mais mundanas: como comprar pedras 33

Dois: Joias, amuletos e talismãs ... 36
   Introdução ... 36
      Pingente do amor ... 38
      Lembrete mágico ... 39
      Magias com âmbar para a atração ... 39
      Magias com anéis ... 44
      Amuleto de proteção ... 47
      Talismã para aliviar a tensão ... 48
      Talismã para o sucesso ... 50
      Talismã para o sucesso em questões relacionadas à Justiça ... 52
      Amuleto de pedra-da-lua para viagens ... 53
      Magia com fluorita para a concentração ... 54
      Talismã para aceitar perdas e confortar o coração ... 55
      Magia com citrino para abrir caminhos ... 56
      Magia de proteção ... 59
      Magia do "dólar" de pirita ... 61
   Como fazer as suas próprias joias mágicas ... 62
      Joias para o coven ... 63
   Como limpar joias de segunda mão ... 64
      Ritual de limpeza ... 65
   Como se desfazer de uma joia mágica ... 65
      Ritual de separação ... 67

Três: Magias com cristais para a casa e o jardim ... 69
   Introdução ... 69
      A casa: cômodo por cômodo ... 70
      Cozinha e sala de jantar ... 70
      Banheiro ... 71
      Dormitório ... 73
      Escritório ou quarto de estudos ... 73
      Sala de estar/Sala de TV/Sala de jogos ... 75
      Equilibre a sua casa: o centro e os quatro cantos ... 75

Fora de casa: proteção e limites 77
    Delimite a sua propriedade com magia de proteção............ 77
    Proteja as entradas da casa 79
Magias com pedras para o jardim 79
    Combinações complementares para o jardim 81
    Magia de proteção para o jardim 84
    Magia da fonte 84

Quatro: Elixires e essências de cristais 86
Introdução 86
Elixires e essências: qual a diferença? 87
    Elixir básico (não é apropriado para consumo) 88
    Essência básica (não é apropriada para consumo) 89
    Elixir indireto ou "seco" 90
    Sugestões de elixires e essências 90
    Elixir do sol 91
    Elixir da lua 92
    Elixir de limpeza e proteção 92
    Elixir para dissipar energia negativa 93
    Elixir para abençoar a casa 94
    Elixir calmante 94
    Elixir para a paixão 95
    Banho tonificante da lua cheia 95
    Elixir para a beleza 96
    Elixir de quartzo transparente (para beber) 96
    Elixires de água salgada 97

Cinco: Magias com areia e vidro 98
Areia mágica 98
Outros usos mágicos da areia 100
    Outras dicas para o uso da areia na magia 102
    Como limpar e carregar a areia 103
    Tigela ofertória com areia e pedras 103

  Magia de banimento ou de amarração com areia........ 104
  Magia com areia para o esquecimento 105
  Garrafa de areia para proteção 106
  Magia da areia sagrada 107
 Magia com vidro 109
 Vidro marinho 110
  Magia de amor com vidro marinho 110
  Coletor de raios solares com cristal austríaco 111

Seis: Magia da terra elegante:
O poder inesperado das pedras... 116
 Introdução 116
  Círculos de pedras para a cura 118
  Quatro quadrantes 119
  Magia para a unidade e a totalidade............................ 120
  Magia com o arremesso de uma pedra......................... 121
  Magia da âncora 122
  Magia para realização de um desejo 122
  Magia de cura com uma pedra 123
  Magia com pedras para uma viagem segura 124
 Geodos... 124
  Magia com geodos para quem tem segredos 126

Sete: Pontas de quartzo especiais 127
 Introdução 127
  Cristal de janela... 129
  Cristal gerador... 130
  Cristal de canalização... 131
  Cristal de dupla terminação... 132
  Cristal de Ísis 133
  Cristal que se curou 133
  Cristal "arco-íris"... 134
  Cristal armazenador 134

Oito: Rituais, meditações e afirmações 138
   Introdução 138
      Ritual para dedicar sua pedra pessoal de poder 138
      Ritual para abrir o Terceiro Olho 141
      Magia com quartzo esfumaçado para a temperança 141
      Magia dos sonhos 143
      Contas de oração 144
      Magias das encruzilhadas 148
      Meditação com ônix para o equilíbrio 149
      Ritual de dedicação da pedra do totem 150
      Magia de escriação 152
      Pêndulos 153

Nove: Numerologia: Pedras e números 156
   Introdução 156
   Como encontrar os seus números 157
      Como começar 159
   Associações numerológicas 160
   Pedras dos signos 167
   Pedras dos signos tradicionais 170
   Como usar os seus números em encantamentos e rituais 171
      Magias simples 171
      Magia para encontrar emprego 173
      Magias para obter um resultado favorável 174

Dez: Encantamentos com grades de cristais: magia avançada com cristais 176
   Introdução 176
      Grade para quitação de dívidas 178
      Grade para a paz e a tranquilidade 180
      Grade para a prosperidade 182
      Grade para a fertilidade 184
      Magia da Flor da Vida 185

    Grade do pentáculo 188
    Magia para estimular a mente 189
    Grade do sexto sentido 190
  Grades alquímicas 191
    Enquadramento do círculo 192
    Tornando-se "ouro", seu melhor eu 194
    Grade do amor universal 197
    Magia espiral para a mudança 198

Conclusão: Leve isto em consideração 201

Apêndice 203
  Pedras e metais: correspondências metafísicas 203
  Sistemas cristalinos 217
  Sólidos platônicos 223
  Correspondências dos dias da semana: pedras, incenso e óleos. 225
  Associações planetárias 226
  Pedras dos chakras 227
  Associações com os elementos 229
  Associações com as estações 230
  Pedras por uso 230
  Cores 234
  Formas 236

Glossário 237
Bibliografia 245

Introdução

Você se lembra da primeira vez em que viu um cristal ou uma pedra preciosa lapidada e ficou fascinado com seu brilho? Eu também tenho paixão por pedras. Amo desde os diamantes lapidados dos anéis até as gigantescas pedras de granito que adornam a paisagem da minha casa no Meio-Oeste dos Estados Unidos. Sentia o poder da Terra quando estava à sombra das montanhas, contemplando, admirada, minúsculos grãos de areia. É aí que começa a magia das pedras: a maneira como elas nos inspiram, nos confortam e despertam em nós um sentimento de assombro com relação à Terra. Talvez você já tenha usado uma pedra para acalmar a sua ansiedade ou tenha se sentido mais confiante usando um certo pingente de cristal no pescoço. Se a resposta é sim, você conhece o poder da magia dos cristais, e eu o convido a continuar sua jornada por meio deste livro.

Meu interesse por rochas e minerais foi o primeiro passo para eu descobrir a magia dos cristais. Lembro-me de encontrar uma pirita, quando criança. É claro que logo me disseram que não era ouro de verdade, mas essa informação não diminuiu em nada o meu entusiasmo ou meu fascínio pela pedra.

Os fósseis também despertaram a minha curiosidade pela própria Terra e a vida que um dia existiu neste planeta. Lembro-me de passar horas procurando pedras e estudando-as, impressionada com a sua forma, brilho, cor, e querendo saber por quê, onde e como existiam.

Comprei meu primeiro guia de campo quando tinha cerca de 10 anos de idade. Ainda me lembro de quando eu andava por aí com uma lupa, tentando identificar cada espécime que coletava. Eu também me lembro da minha primeira máquina de polir pedras, que ficava no porão. Eu tinha caixas de pedras escondidas no celeiro e no meu quarto. Não fazia ideia de que esse *hobby* se tornaria tão importante na minha vida, de que meu amor pela natureza acabaria se tornando um caminho espiritual.

Somos nós que damos sentido às nossas experiências. As pedras podem estar cercadas de mitos, lendas e tradições, mas podemos adicionar a esse conhecimento o significado e a perspectiva que nós próprios conferimos à magia dos cristais. As magias e os rituais deste livro foram idealizados para aprimorar seu conhecimento atual da magia dos cristais e lhe oferecer novas maneiras de trabalhar com pedras que irão ajudá-lo a dar continuidade à sua prática.

Sobre as magias e os rituais

Antes de realizar as magias e rituais deste livro, use qualquer método da sua escolha para criar um espaço sagrado ou lançar um círculo. Estou partindo do pressuposto de que você já tenha uma compreensão básica das influências mágicas de cada dia da semana, das fases da lua e das questões mais ou menos favorecidas à medida que a lua passa pelos signos*, pois esses detalhes nem sempre são incluídos na descrição da magia ou do ritual. Além disso, é importante que você comece cada encantamento com as pedras já limpas e carregadas. No Capítulo 1 são apresentadas algumas técnicas para limpar e carregar as pedras, mas, em alguns casos, o método já faz parte do próprio encantamento. Caso não faça, use qualquer método que preferir para preparar a(s) sua(s) pedra(s).

---

* Todas essas informações você encontra no *Almanaque Wicca*, publicado pela Editora Pensamento. (N.E.)

As magias a seguir são apresentadas em capítulos organizados por estilo. Por exemplo, a seção sobre a preparação das pedras contém procedimentos para limpá-las, carregá-las e dedicá-las. Há um capítulo sobre joias, talismãs e amuletos; outro para pedras que você tem em casa e no jardim; e outras categorias como vidro e areia, elixires e grades de cristais. Você pode ler os capítulos na ordem em que se apresentam ou selecioná-los de acordo com o seu interesse ou necessidade.

Além disso, o apêndice contém listas e correspondências baseadas em associações planetárias, chakras, elementos e muito mais. Você pode usar essas informações para criar sua própria magia com cristais ou para encontrar uma pedra substituta, caso não tenha a que o encantamento sugere.

Você notará que todas as magias deste livro contêm cânticos com rimas. Isso porque as palavras ajudam a focar a nossa intenção no domínio físico. (Estamos afirmando o nosso propósito em voz alta para o universo.) Embora as palavras em si talvez não tenham um poder inerente, elas são mais um instrumento que temos na prática mágica. A rima e o ritmo também ajudam a concentrar a mente. (As rimas e o número de linhas de um cântico podem, inclusive, se basear na numerologia.) No entanto, sinta-se à vontade para acrescentar as suas próprias palavras ao cântico, se quiser ser mais específico. Em qualquer magia, os cânticos devem ser acompanhados de técnicas de visualização, pois o ideal é que as palavras possam ajudá-lo na visualização.

Eu uso a palavra "pedras" ao longo de todo o livro para me referir a qualquer tipo de material, inclusive cristais e outros minerais, gemas orgânicas (substâncias de organismos vivos), metais e rochas. O objetivo é expandir o reino do que consideramos "magia com cristais" para incluir esses itens. Os anciãos gregos nos proporcionaram a palavra *krystallos*, que significa "gelo", pois se acreditava que o quartzo transparente não passava de água congelada que não se podia derreter. Segundo a definição científica, cristal é um mineral com uma estrutura atômica simétrica, que se repete num padrão ordenado. Os minerais são corpos naturais sólidos, muitos com estrutura cristalina; seus átomos são dispostos em estruturas em forma de grade, com padrões geométricos definidos e uma grande variedade de combinações químicas. Essa estrutura especial, ordenada, é o cerne da magia dos cristais.

Vale lembrar que não devemos ignorar as pedras que não possuem uma estrutura cristalina perfeita, como o âmbar (não mineral) e até o vidro. Você pode notar que não menciono o coral ou o marfim. Isso porque essas "gemas" orgânicas (isto é, provenientes de organismos vivos), em particular, são muitas vezes raras ou se encontram até mesmo ameaçadas de extinção. O coral, especialmente a variedade vermelha, tem sido há muito tempo utilizado em ornamentos, mas infelizmente os recifes de corais estão ameaçados em todo o mundo e o coral vermelho está desaparecendo por causa do aquecimento global. Também não é recomendado o uso de marfim, pois sua extração é responsável pela morte de milhares de elefantes anualmente. O âmbar, o azeviche e a pérola, por outro lado, foram incluídos neste livro.

Se você pratica a cura com cristais, esteja ciente de que "magia com cristais" e "cura com cristais" não são necessariamente a mesma coisa. Elas podem se complementar em alguns casos, mas este livro aborda principalmente as propriedades metafísicas das pedras para uso em magias e rituais. Para deixar mais clara essa distinção, pense que a cura com cristais afeta a saúde física e alguns fatores emocionais, enquanto a magia com cristais influencia o eu interior e uma gama mais ampla de aspectos, incluindo o ambiente que a pessoa frequenta. Como eu disse, essas práticas podem se complementar, e alguns métodos de magia deste livro de fato abrangem a magia "interior", promovendo mudanças dentro de nós.

Você provavelmente já sabe que o quartzo (também conhecido como cristal de rocha) é um dos minerais mais abundantes da Terra. Composto de silício e oxigênio, ele tem sido usado há mais de um século na indústria eletrônica, devido ao seu efeito piezelétrico. O uso metafísico dos cristais traz à baila uma questão: se os cristais podem ser usados para transmitir sinais de rádio, eles poderiam também canalizar energias sutis para o nosso corpo? E isso poderia nos afetar em muitos níveis — espiritual, físico e emocional? Nossos corpos são feitos de energia, afinal. E, como a magia envolve o uso de energia, os cristais são apenas mais um componente para acessarmos a conexão entre nós e o universo, permitindo-nos fazer mudanças em nossa vida.

Quando este livro foi impresso, eu já colecionava pedras e minerais havia quase trinta anos. Ainda tenho muitas das pedras que coletei quando criança e elas guardam lembranças das minhas experiências e explorações. Continuo a colecionar pedras e a me inspirar nelas, e também gosto de estudá-las, tanto no âmbito científico quanto metafísico. Quando você vê um cristal natural perfeito, constata a maravilha que é o próprio universo — átomos ordenados, em perfeito equilíbrio. Isso seria puro acaso? Algum plano divino? Não importa. Essa simetria e conexão são impressionantes. Somos todos feitos de substâncias químicas e matéria ordenada. É importante manter vivo em nós esse sentimento de assombro e deslumbramento, quando praticamos a magia com cristais.

UM

Preparação para a magia com cristais

Introdução

Como em qualquer outra técnica de magia, a magia com cristais requer alguns preparativos, tanto pessoais, do próprio praticante, quanto em relação aos instrumentos que ele usará. Nossas pedras e nosso estado de espírito devem estar límpidos e focados. É tentador simplesmente enxaguar rapidamente as pedras na pia e começar a praticar, mas você verá que vale a pena reservar algum tempo para limpar e carregar suas pedras, pois o próprio ato de se dedicar a esses preparativos acabará por se tornar um gatilho para a sua consciência mágica.

Você com certeza já ouviu os termos "limpar" e "carregar" usados para se referir a cristais, e provavelmente já pratica essas técnicas. Tenho certeza de que você compreende por que essa etapa é necessária. A limpeza elimina a energia indesejada e o carregamento (ou programação) é usado para projetar sua intenção num objeto. Muitas vezes essas palavras são usadas de forma intercambiável, então eu gostaria de fazer alguns esclarecimentos. Neste capítulo, você encontrará rituais específicos para limpar, carregar, programar e dedicar suas pedras, bem como definições detalhadas desses termos.

A limpeza e programação de suas pedras: definição e desmistificação

A limpeza pode ser tanto uma limpeza física da pedra quanto a remoção (eliminação) de alguma "energia" a que ela pode ter sido exposta. Essa limpeza física é necessária por muitas razões, mas o principal motivo é eliminar a poeira e qualquer outro tipo de sujeira. Além disso, de certa forma você está tomando posse da pedra, tornando-a sua, ao destituí-la das marcas deixadas por outras pessoas.

A eliminação da energia é um procedimento um pouco mais intangível. A maioria dos praticantes de magia e outras artes metafísicas acredita que as pedras e outros objetos podem absorver energia de outras fontes e retê-las por algum tempo. É por isso que limpar suas pedras é uma excelente ideia e um ótimo primeiro passo quando você adquire um novo exemplar. Eu gosto de usar a palavra "limpeza" tanto quando me refiro à limpeza física quanto quando me refiro à metafísica, pois ela implica uma sensação de renovação que mostra que o objeto está pronto para ser usado com outra finalidade.

O carregamento ou programação é mais difícil de definir. A ideia é que você pode, e deve, dar à sua pedra um foco, ou propósito, antes de usá-la. Você define esse propósito com base na sua intenção e, em seguida, usa a pedra como um instrumento para concentrar essa intenção em magias e rituais. E, quando tiver terminado, essa carga se esgota ou é "apagada" pela limpeza. Além disso, se programar sistematicamente a mesma pedra para o mesmo propósito, você reforçará sua intenção, de modo que, cada vez que vir essa pedra, sentirá instantaneamente seu propósito.

Alguns praticantes de magia acreditam que, quando carregam ou programam uma pedra, imprimem os seus pensamentos na própria essência dela. Se essa imagem ajudar você a concentrar sua intenção, visualize seus pensamentos sendo impressos na pedra. Use esse método ou qualquer outro que funcione para você.

Para carregar ou programar a pedra, escolha a visualização com que se sente mais confortável. Gosto de me conectar com a pedra no nível mineralógico, pois nós duas (ela um pouco mais e eu um pouco menos) temos minerais em nossa composição. Eu me visualizo estabelecendo uma conexão com uma pedra em particular para um propósito específico num momento específico do tempo. Visualizo essa conexão como um vínculo que liga minha intenção à pedra. Existem muitas maneiras diferentes de se fazer isso, e vou apresentar alguns métodos aqui. Claro, sinta-se livre também para criar um método que funcione melhor com você. Não precisa usar o mesmo método todas as vezes (embora algumas pessoas achem que a constância ajuda a fortalecer o foco e a intenção).

O processo de dedicação implica que você pretende usar a pedra mais de uma vez com a mesma carga ou programa. A dedicação pode ser essencial especialmente no caso de uma pedra ou joia que você sabe que vai querer usar, por um tempo, para o mesmo propósito. Isso ocorre porque a ação ajuda a mente a se manter focada e a mente é onde está a intenção mágica. Esse processo faz parte do aspecto do ritual que nos atrai para a magia. Essas ações são carregadas com um significado que nos ajuda a concentrar nossa intenção e anunciar nosso propósito. Aqui está a maneira pela qual eu explico isso:

> **Limpeza:** eliminar impurezas físicas e também fazer uma purificação simbólica, dando à pedra um caráter renovado. Esse procedimento remove a energia indesejada da pedra por meio da visualização e de outras técnicas, muitas vezes combinadas com a limpeza física. Eu uso a palavra "limpeza" para me referir a esse processo combinado: limpeza física e limpeza energética.

> **Carregamento/Programação e Dedicação:** o carregamento e a programação na verdade significam a mesma coisa: você carrega uma pedra com uma intenção específica para usá-la em magias ou rituais; e dedica uma peça que planeja usar repetidas vezes com o mesmo propósito (ou para torná-la um talismã, uma joia ou amuleto). A dedicação é simplesmente o uso repetido de

uma pedra com o mesmo objetivo. Isso pode acontecer carregando-se a mesma peça várias vezes ou realizando-se um ritual de dedicação (ou ambos).

Você deve limpar a pedra imediatamente após a magia? Depende. Eu limpo as pedras antes de usá-las novamente. De quanto em quanto tempo? Isso depende de você. Depende principalmente da energia que você está gerando com a magia ou ritual. Você pode não querer dispersar a energia que está na pedra. Ou pode querer que ela se espalhe, se tiver feito magia da prosperidade, por exemplo. Agentes de cura que usam cristais sempre limpam e purificam suas pedras antes e depois de usá-las; então, se você já é adepto dessa prática, pode preferir usar o mesmo procedimento no seu trabalho mágico.

Métodos de limpeza

Nem todos os métodos de limpeza servem para todas as pedras. Pedras macias nunca devem ser mergulhadas na água e pedras que tendem a rachar ou desbotar nunca devem ser carregadas com luz solar. Lembre-se de usar técnicas de visualização durante o processo. Visualize a pedra sendo limpa ou "apagada", como um quadro-negro, e preparada para receber sua intenção. Essas técnicas destinam-se a remover a energia indesejada da pedra. Eu incluí um encantamento para ser usado em cada método. Para economizar tempo, você pode limpar várias pedras de uma só vez.

Para a limpeza física (remoção da sujeira ou da poeira), limpe sua pedra com sabonete neutro ou pasta de dente com água fresca ou morna. Em caso de drusas, use uma escova de dentes velha ou um cotonete para limpar todas as fendas. Seque a pedra com uma toalha macia ou deixe-a secar naturalmente. Esse método também funciona com joias, mas é claro que você pode usar um produto especial para limpar joias ou um pano próprio para remover manchas nos metais.

Elementos

Como o nome sugere, este método usa os quatro elementos clássicos, Terra, Ar, Fogo e Água, para limpar a pedra. Você precisará de algo para representar cada elemento: um prato com terra, uma vela acesa, um incenso aceso e um prato com água.

Método:

Mergulhe a pedra na água, depois passe-a rapidamente pela chama da vela (sem queimar os dedos!). Em seguida, passe a pedra pela fumaça do incenso e, finalmente, coloque-a no prato com terra. À medida que executa cada tarefa, visualize esse elemento removendo qualquer energia indesejável da pedra: a Água lava e renova, o fogo queima e purifica, o Ar sopra as impurezas para longe, a Terra absorve.

Cântico:

Água, Fogo, Terra e Ar,
Que esta pedra possa se renovar.

Defumação

Este método usa fumaça de incenso ou um defumador com ervas para dissipar a energia negativa e purificar o objeto. As escolhas mais tradicionais são a sálvia ou o olíbano, mas use o que mais lhe agradar. Você pode segurar a pedra na mão e passá-la pela fumaça, ou colocá-la sobre uma mesa ou outro tipo de superfície e deixar que a fumaça passe por ela. Eu gosto de usar um castiçal alto projetado para uma vela votiva ou cônica. A maioria das pedras cabe nesse tipo de castiçal, e você pode colocar o incenso embaixo ou ao lado dele, deixando que a fumaça fique passando pela pedra por um tempo maior.

Cântico:

Sopre, fumaça, e leve o passado.
Limpe desta pedra o que está impregnado.

Água

Se quiser limpar uma pedra com água, seria melhor usar água coletada ou corrente de uma fonte natural. Se você não tiver acesso a isso, use água mineral ou de torneira, se preferir. Você pode até fazer um elixir de limpeza especial (ver Capítulo 4) ou deixar a pedra mergulhada na água por um tempo, sob a luz solar ou ao luar ou à luz de velas, e depois enxaguá-la sob água corrente. Depende de você e também do uso que pretende fazer da pedra. Algumas pessoas gostam de usar água salgada, o que pode ser bom caso a pedra não seja muito frágil.

Cântico:

Água corrente, água da nascente
Limpe desta pedra toda intenção pendente.

Que este cristal seja purificado
até que seu novo propósito seja programado.

Luz do sol ou da lua

Nesse tipo de limpeza, basta colocar a pedra sob a luz do sol ou da lua por um período de tempo prolongado. Você pode, se quiser, usar esse método combinado com a limpeza com água. Enxágue a pedra e use a luz solar ou lunar para completar o processo.

Cântico:

Luz do sol/luz da lua, faça a sua limpeza,
Ilumine esta pedra, tire dela toda impureza...

Terra

Coloque a pedra num recipiente com terra por 24 horas.

> **Cântico:**
> *Solo da Terra, lar acolhedor, restaure*
> *nesta pedra seu verdadeiro valor.*

Música e sons

Você pode usar os sons para limpar suas pedras tocando um sino, um gongo ou uma tigela cantante. Cante ou entoe estes versos enquanto produz os sons ou toca a música:

> *Quando este som fluir no ar,*
> *Esta pedra vai se purificar.*

Sal

Como descrevi no método da limpeza com água, você pode usar água salgada somente em algumas pedras. Deixar a pedra sobre uma camada de sal marinho também é uma excelente escolha para a limpeza. Deixe a pedra no sal durante a noite, ao longo do dia ou por um período de 24 horas.

> **Cântico:**
> *Para a terra clamo que este sal*
> *Tire toda impureza deste mineral.*

O uso de drusas de quartzos ou outras pedras

Deixar a pedra ou a joia sobre uma grande drusa de quartzo é um dos métodos mais fáceis de limpeza. A cianita também é um bom mineral para se usar na limpeza energética de outras pedras. Deixe a pedra sobre a drusa durante pelo menos 24 horas.

Cântico:
Pedra na pedra, que se abra espaço,
Para eliminar os mais antigos laços.

Como carregar e dedicar

Carregamento (ou programação) é o termo usado para estabelecer uma intenção temporária. Por exemplo, você usa uma pedra de ametista num encantamento para ter uma boa noite de sono e depois a limpa e a carrega para usá-la numa meditação. Você usa uma pedra de olho-de-tigre numa magia para a prosperidade, mas pode usá-la novamente para realizar um ritual de ancoragem. Esse método de limpeza e carregamento é perfeito. No entanto, você pode querer manter uma pedra ou joia para um propósito em particular. Neste caso, use a dedicação — sua intenção de usar essa peça permanentemente (ou por um longo período de tempo) para um único propósito — como um amuleto protetor, por exemplo, ou uma bola de cristal para a adivinhação.

Métodos para carregar e dedicar um cristal

Ao carregar uma pedra, o mais importante é visualizar claramente sua intenção. Visualize o que você deseja, concentre-se no seu objetivo. O ideal é que você use a mesma visualização (ou algo parecido) durante o encantamento ou ritual, para reforçar sua intenção. Segure a pedra na sua mão projetiva (a que você usa para projetar energia) durante o processo de carregamento ou imponha sua mão projetiva sobre a pedra. Se quiser, você pode falar sua intenção em voz alta ou até anotá-la num papel e colocar a pedra em cima dele. Se vai usar várias pedras na mesma magia, pode carregar todas ao mesmo tempo, mesmo se servirem para propósitos ligeiramente diferentes. Elas estarão unidas pelo propósito do seu encantamento.

Além disso, lembre-se de levar em conta as suas necessidades; seu objetivo na magia pode ser geral ou específico. Por exemplo, em vez de se concentrar na prosperidade em geral, você pode se concentrar na sua necessidade específica, como pagar dívidas ou ganhar mais dinheiro. Você também pode visualizar-se na situação em que deseja estar. Em algumas situações, você precisa permanecer mais aberto e optar por um foco mais abrangente, como nas ocasiões em está em busca de um amor. Não dê pouca importância ao modo como você pode se limitar — pense nisso como se estivesse navegando na internet: quando está fazendo uma pesquisa, às vezes precisa ser muito específico, mas outras vezes você prefere que todas as opções lhe sejam reveladas.

Cântico para carregar uma pedra com um propósito genérico

Meu propósito agora lanço no ar
Para com esta pedra me conectar.
Que esse propósito seja conhecido
E com ela eu possa trabalhar.
Que assim seja!

Estabeleça agora o propósito do seu encantamento. Para dedicar a pedra, acrescente estes versos:

Quando eu disser estas palavras
Minha pedra será dedicada.

Outros métodos

Assim como os sons podem ser usados para limpar a energia estagnada, eles também podem ajudar na programação e também na dedicação da pedra. Coloque uma música para tocar quando estiver visualizando a sua intenção. Você vai associar esse som com essa pedra e com o seu propósito. Você também pode usar sinos, tigelas cantantes, tambores ou outros instrumentos.

Se trabalha com óleos essenciais, você pode adicionar algumas gotas de óleo a uma solução carreadora e aplicá-la num cristal. Só tenha cuidado para não danificar a pedra. Escolha um aroma associado ao seu propósito e você se lembrará dele cada vez que sentir esse aroma em particular.

Como dedicar drusas de cristal

A maioria dos meus conhecidos que coletam pedras é fascinada por drusas (também chamados de aglomerados). Essas pessoas parecem viver num mundo particular, como uma cordilheira, um mundo em que elas poderiam se perder. Alguns têm mais cristais do que poderiam contar. E eles brilham como nenhuma outra forma natural. São peças decorativas lindíssimas e excelentes para a magia.

Nos trabalhos de magia, as drusas costumam ser usadas para criar um senso de comunidade ou harmonia numa sala, ou durante a prática mágica de grupo. Eles também são símbolos bonitos para se colocar no centro de um altar.

Eis um cântico que você pode usar para dedicar uma drusa ao propósito de ter um ambiente harmonioso.

Esta drusa de cristal representa
A esperança que minh'alma acalenta;
Que a paz mais edificante
Se reflita em sua face brilhante.

Você também encontrará drusas de outras variedades de quartzo e de outros minerais também. O significado de cada uma delas corresponderá ao significado do mineral em questão. Por exemplo, a drusa de ametista pode ser usada para melhorar a atmosfera espiritual; a de citrino propiciará um ambiente de trabalho de sucesso. Seja qual for o mineral, pense na drusa como uma dose adicional da energia dessa pedra e especialmente adaptada para uma comunidade ou grupo.

Exemplos:

- Uma drusa de quartzo transparente com vários pontos que parecem cicatrizes poderia ser usada num ambiente onde a cura e o conforto são necessários.
- Uma drusa de quartzo esfumaçado pode ser usada para equilíbrio e temperança dentro de um grupo no qual se queira superar um mau hábito ou outro obstáculo.
- Uma drusa de apofilita ou ametista poderia ser usada no trabalho mediúnico ou mágico de um grupo, ou num trabalho a distância que se faça em grupo.

As drusas também são excelentes para o trabalho individual, pois são visualmente impressionantes e atraentes. A presença de uma numa sala de estar pode ajudar você a atender suas necessidades como indivíduo. Visualize a energia do cristal sendo projetada ao seu redor, de todos os pontos da drusa.

Como se centralizar e se ancorar

Estes são aspectos importantes do trabalho mágico que você, sem dúvida, já conhece. No entanto, talvez eles possam lhe parecer complexos. Se você achar o processo complicado, pode dedicar pedras específicas para usar sempre que for fazer um exercício de centralização e ancoragem. Lembre-se de que a repetição do mesmo objetivo ao longo do tempo é uma espécie de dedicação automática. Esse processo de dedicação pode ser, ele próprio, um método para alcançar esses estados desejados. Aqui estão algumas sugestões para as práticas de centralização e ancoragem usando pedras.

Ritual de centralização

Estar centrado significa estar equilibrado do ponto de vista físico e espiritual e em todos os corpos sutis. Esse conceito é um pouco intangível — a maioria de nós simplesmente reconhece a sensação quando a experimenta. Use pedras para facilitar a centralização, selecionando aquelas utilizadas para meditação, para estimular a mente e recomendadas para propiciar a espiritualidade. A fluorita transparente seria uma boa escolha, assim como o quartzo transparente. Além disso, a hematita é uma dessas pedras raras que são perfeitas para a centralização e a ancoragem. Segure a(s) pedra(s) enquanto medita, pratica exercícios de respiração ou usa sons (música, sinos). Você também pode fitar as pedras enquanto pratica o exercício de centralização dessa maneira. Além disso, o uso de contas de oração pode ajudá-lo a se sentir centrado e focado.

Cântico:

Corpo, mente e espírito agora se alinham,
Para que eu fique centrado na minha meta
Meus corpos sutis estão agora equilibrados
Para que minha magia esteja completa.

Este cântico pode ajudar você a gerar um senso de conectividade:

Para o céu o meu espírito se eleva
Quando ergo os olhos, quando ergo a voz
Vejo o sol, a lua e as estrelas
Vejo também o céu dos meus avós.

Ritual de ancoragem

Quando está ancorado, você está livre do excesso de energia. Está conectado da maneira certa (pense num fio-terra), de modo que qualquer excesso de energia flui para a terra. A falta de ancoragem na prática mágica pode resultar em nervosismo, inquietação, explosões emocionais, fadiga e até enfermidades (visto que você pode estar cansado ou seu sistema imunológico, debilitado). Outros sintomas são tontura, sensação de desequilíbrio, confusão mental, desequilíbrio nos chakras e distúrbios energéticos sutis na aura e em outros corpos sutis.

Ao selecionar pedras para a ancoragem, pense nos minérios "pesados", especialmente os metálicos, como a magnetita, a galena e a hematita. A bronzita e a barita ("rosa-do-deserto") são menos usadas, mas são pesadas e também boas escolhas para a ancoragem. Pedras de cores mais escuras, como a turmalina negra, o quartzo esfumaçado e o ônix também podem ser usados. Experimente várias para ver com qual você sente mais afinidade. Segure a pedra com uma mão e coloque a palma da outra sobre ela, em concha. Uma visualização muito usada na ancoragem é imaginar-se como uma árvore cujas raízes penetram o solo. Você também pode visualizar-se como uma pedra.

Cântico:

Com o solo, tenho uma ligação,
Vejo minhas raízes cravadas no chão,
Sinto o peso desta pedra na minha mão
Com a Terra celebro a nossa união.

Atividades mais mundanas: como comprar pedras

Este capítulo sobre os preparativos não estaria completo sem uma palavrinha sobre como obter as pedras. Quase todas as pessoas que usam pedras nos seus trabalhos de magia sabem que esses itens podem ser comprados numa grande variedade de lojas e em vários sites na internet. Além disso, não se esqueça das feirinhas com barracas que vendem gemas e minerais, se esses eventos ocorrerem em sua região. Descobri que esses são os lugares ideais para se encontrar pedras naturais ou polidas, suprimentos e joias. Em alguns casos, você evita intermediários nessas feiras e compra diretamente do fornecedor, além de não pagar frete.

Ao comprar joias e minerais, você pode adotar diferentes abordagens. Se está procurando algo em particular, visite vários locais de venda antes de comprar. Muitas vezes, os revendedores têm objetos semelhantes, mas com preços muito diferentes. Vi recentemente três vendedores oferecendo as mesmas varinhas, mas com três preços diferentes — uma delas pela metade do preço — e a mercadoria era exatamente a mesma. Se você estiver simplesmente consultando preços, vá a vários lugares diferentes e deixe que a intuição seja a sua guia, levando-o aonde precisa estar. Claro, se você se sentir atraído por uma peça ou sentir um desejo irresistível de comprar uma pedra, provavelmente convém ouvir sua voz interior.

Uma vez eu estava procurando uma esfera de quartzo transparente, a "clássica" bola de cristal. O primeiro vendedor que visitei tinha duas, ambas com um preço razoavelmente bom. Uma era claramente de melhor qualidade e exatamente o que eu estava procurando. Minha mente dizia que eu deveria dar uma olhada em outras lojas primeiro, então comecei a me afastar. Mas, então, minha intuição entrou em cena e disse: você deve comprá-la agora! Então eu comprei. E foi bom, porque nenhum outro fornecedor tinha esferas de quartzo transparentes pelo preço que eu podia pagar. Até hoje, anos depois, não vi nenhuma outra de igual qualidade pelo preço que paguei.

Você pode comprar pedras por se sentir atraído por elas sem nenhum motivo em particular e depois descobrir que de fato precisava delas naquele momento da sua vida. Ou pode simplesmente querer uma peça bonita para a sua coleção.

Você não gosta quando encontra inesperadamente algo que precisava, mas não estava procurando? Isso geralmente acontece quando você compra pedras intuitivamente. (O Capítulo 8 explica detalhadamente o poder pessoal das pedras.)

Saiba que, nas feiras de pedras e joias, muitas vezes existem muitos tipos de fornecedores — vendedores de joias, lapidadores, proprietários de lojas metafísicas, geólogos etc. Todos oferecem peças bonitas, mas você, sem dúvida, encontrará alguns itens de baixa qualidade. Os bons exemplares do reino mineral geralmente vêm acompanhados de informações sobre o local onde foram encontrados. Um bom negociante é capaz de responder a todas as suas perguntas e será honesto sobre peças sintéticas. Uma vez, encontrei uma peça que parecia olho-de-gato rolada (cimofana), com algumas outras pedras naturais moldadas em esferas. Quando perguntei, ele me disse que o olho-de-gato era, na verdade, fibra óptica e, portanto, não natural. O verdadeiro olho-de-gato é bastante raro e caríssimo.

Quanto mais você sabe sobre minerais, melhor comprador você será.

Se souber se uma pedra é comum ou rara, por exemplo, poderá julgar melhor o preço. Você talvez encontre algumas peças com um preço exagerado, mas também pode encontrar algumas boas ofertas. Se tiver dificuldade para identificar uma pedra, pergunte. A maioria dos vendedores são colecionadores ávidos, muitas vezes dedicam a vida ao estudo dos minerais — eles sabem o que estão fazendo. E a maioria deles, como nós, tem paixão por pedras.

Dois

Joias, amuletos e talismãs

Introdução

Adoramos enfeitar nosso corpo, e as joias são a maneira mais fácil e não permanente de fazermos isso. A joia mágica é mais que decoração, ela serve a um propósito. Acredita-se que o uso de joias como adorno começou com o uso das pedras como amuletos ou talismãs protetores, ou para atrair sorte. Parece que, apesar das diferenças no significado das pedras de uma cultura para outra, elas foram usadas universalmente ao longo da história como símbolos de proteção.

Este capítulo apresenta magias com pedras para serem usadas no corpo ou carregadas no bolso ou na bolsa, longe dos olhos das outras pessoas ou à vista de todos. Muitas vezes há uma linha tênue entre as joias mágicas, os talismãs e os amuletos. Para começar, há uma diferença sutil entre um talismã e um amuleto. Por definição, um *talismã* é um item que é carregado ou usado para um propósito específico, geralmente para atrair algo (tal como dinheiro ou sorte). O *amuleto* é transportado ou usado para um propósito geral, normalmente para repelir algo (o mal, por exemplo), conferindo assim proteção. Você muitas vezes verá essas duas palavras sendo usadas de forma intercambiável.

Nos tempos antigos, os talismãs eram muitas vezes pedras que continham uma gravura, palavra ou símbolo; um amuleto é uma pedra colocada dentro de uma pequena bolsa ou saquinho, juntamente com uma frase escrita ou uma invocação. Os amuletos eram usados para afastar o perigo e proteger o portador de veneno, animais, inimigos, e assim por diante. Os talismãs eram usados para atrair sorte, amor, saúde, riqueza e poder.

Tanto o amuleto quanto o talismã podem ser joias, naturalmente. Por exemplo, digamos que você tenha um colega de trabalho problemático, um chefe repressor, um parente com quem vive discutindo ou um vizinho rude. Use um amuleto visível quando falar com essas pessoas. Às vezes é bom que essa peça seja ousada, não sutil. Um grande medalhão ou anel pode ser bastante impressionante. Um broche também funciona bem. Aqui está a minha regra geral: os saquinhos de couro ou pano devem ser escondidos; as joias devem ser mostradas (mas é claro que existem exceções). Se o amuleto parece poderoso, vai parecer mais poderoso ainda quando você usá-lo. No entanto, se quiser ser discreto, certifique-se de que a peça combina com sua roupa e apenas parece mais um acessório. Certifique-se de que ele tem a ver com o seu estilo e não parece destoar dele.

Há situações, percebo, em que usar um determinado símbolo, como um pentagrama, pode atrair uma atenção indesejada. Usar joias sob a roupa é sempre uma opção. Mas às vezes há maneiras de contornar esse problema. Uma ideia é usar uma joia mágica com um simbolismo sutil que passe despercebido ou pareça meramente decorativo — um segredo ocultado, mas à vista de todos. Por exemplo, um pentáculo tecido em meio a um bordado de nós celtas ou a imagem de um animal ou árvore que tenha um significado especial para você. Um pingente de golfinho pode ser apenas um pingente ou uma representação de um animal totem. Você pode até usar um medalhão simples que contenha ervas mágicas ou um anel que tenha símbolos especiais gravados internamente. E como joias de pedras preciosas ou semipreciosas são encontradas em lojas comuns, não vai parecer estranho se você usar um pingente de ametista, por exemplo, ou uma grande peça de âmbar. Joias clássicas de pedra estão sempre na moda.

Pingente do amor

Faça este encantamento apenas se quiser correr o risco de amar. Ele não vai impedi-lo de se decepcionar, mas vai lhe dar força interior e amor-próprio, para que, se a decepção acontecer, você se sinta mais forte. E se estiver procurando um novo amor, namorando alguém ou se dando conta de que seu relacionamento está ficando mais sério, experimente este pingente. Concentre-se no seu amor-próprio e na certeza de que ele vem em primeiro lugar em qualquer relacionamento. Você não pode amar os outros se não ama a si mesmo.

Pedras:
- Encontre um quartzo rosa em forma de coração e que possa ser usado como pingente.
- Você também precisará de lascas de malaquita para formar um pequeno círculo em torno do quartzo rosa.
- Alternativa: faça um colar com o pingente de quartzo rosa em forma de coração e as contas de malaquita.

Primeiro, faça o círculo de pedras de malaquita ao redor do coração. (Se você tiver uma colar de malaquitas, essa seria a escolha ideal.) A malaquita está associada ao chakra do coração e é uma pedra protetora. O quartzo rosa será a peça que você vai de fato usar (a menos que prefira fazer o colar). Se não tiver um quartzo rosa em forma de coração ou que possa usar como pingente, carregue com você um pedaço de quartzo rosa que possa transportar. Em suma, você vai usar ou carregar o quartzo rosa de modo que ele fique contra o seu peito, perto do chakra do coração.

Quando estiver pronto, visualize e entoe:

Eu lhe dou meu coração, faço de ti o ser amado
Mesmo que tudo dê errado
Nunca perco a coragem.
O que for que aconteça, não sairei destroçado.

Lembrete mágico

Você provavelmente já amarrou um barbante em torno do dedo, para ajudá-lo a se lembrar de algo, ou já viu alguém fazendo isso. Esta magia funciona com base nesse mesmo princípio: usar algo que o impeça de se esquecer. Gosto de braceletes, mas muitas vezes é incômodo usá-los por muito tempo. No entanto, isso vem a calhar se estou tentando manter minha mente focada em algo como, por exemplo, tentar romper um mau hábito. Digamos que você queira romper o hábito inconsciente de roer as unhas. Dedique uma pulseira para esse fim e, cada vez que levantar a mão para fazer alguma coisa, você vai se lembrar de não roer as unhas. Muito simples. Gosto de usar uma pulseira que tenha pingentes ou contas penduradas. Para um encantamento muito específico, escolha contas de pedra e crie uma pulseira adequada apenas para essa finalidade. Queime uma vela no centro da pulseira para carregá-la, e use este cântico para selar a magia:

Uma argola em torno do pulso,
Me ajuda a lembrar de verdade.
Liga-me à tarefa que tenho
E da minha responsabilidade.

Enquanto a vela queima, comece a usar a pulseira. Carregue-a novamente quando sentir necessidade.

Magias com âmbar para a atração

Entre os vários atributos do âmbar, ele tem a capacidade de tornar irresistível quem o usa. A pedra, por si só, já tem um apelo irresistível

— ela é lisa e brilhante, e quente como um pôr do sol. A de cor alaranjada média é a mais popular e a mais usada em magia. Certifique-se de que você tenha um âmbar de verdade, não uma imitação sintética — é muito fácil falsificar o âmbar usando plástico. Para testar seu âmbar, esfregue a peça rapidamente num pedaço de veludo. Você talvez tenha que fazer isso várias vezes para produzir uma carga elétrica. O âmbar verdadeiro atrairá fiapos ou pedacinhos de papel; o de plástico, não.

Por causa da sua cor, o âmbar é frequentemente associado ao sol ou ao elemento Fogo, mas, se formos levar em conta sua origem, o âmbar está mais conectado ao elemento Terra. Como o âmbar é resina fossilizada de árvores, ele tem qualidades "terrosas" que nos nutrem. Execute os encantamentos a seguir numa sexta-feira e, se desejar, evoque Afrodite, Vênus ou Freia para ajudá-lo. Lembre-se: para os gregos, Afrodite era uma deusa do amor físico, não do amor como sentimento. Se você evocá-la ou evocar Vênus, sua contraparte romana, esteja ciente desse aspecto da personalidade dela. Você pode usar essas magias em qualquer dia do ano (a lua crescente ou a lua cheia são as melhores), se sentir necessidade.

Lembre-se, você não está dirigindo essa energia para outras pessoas; pelo contrário, está afetando a si mesmo, contemplando e sentindo o seu lado melhor e aperfeiçoando as qualidades naturais que possui e que atraem as outras pessoas. Não queira controlar a forma como os outros o veem — concentre-se em se aprimorar e em atingir o que você quer. Existem vários tipos de magias neste livro, combine-as como desejar.

Estes encantamentos incluem joias porque são mais fáceis de usar e a maioria das pessoas acha que, assim como outros acessórios, elas incrementam a sua aparência, conferindo-lhe um "algo a mais". Levar uma pedra com você no bolso ou na bolsa pode não ser tão eficaz.

Uma magia especial ocorre quando uma joia interage com a energia e a personalidade da pessoa. No entanto, se quiser ser mais sutil ou se, por algum motivo, não puder usar joias ou não tiver nenhuma, você pode carregar uma pedra de âmbar na bolsa, numa valise ou no bolso.

Ou use este encantamento em conjunto com o Talismã para o Sucesso e leve-o com você. Pode haver momentos em que você quer ser atraente, mas saiba que ser atraente também pode ter suas desvantagens.

O objetivo aqui é chamar a atenção, de modo que você seja notado de várias maneiras. Talvez você tenha uma entrevista de emprego e queira causar uma boa impressão. Neste caso, use um encantamento para evidenciar suas melhores qualidades. As magias apresentadas neste livro foram projetadas para causar efeitos suaves, mas você pode aumentar seu poder alterando a maneira como carrega sua pedra ou joia. Você pode usar um encantamento para ajudá-lo a atrair um segundo olhar de alguém que gostaria de conhecer ou para lhe dar confiança, fazendo com que seus melhores recursos se destaquem. É por isso que esta magia de atração tem tantas variações.

O principal requisito é uma peça de joalheria ou de bijuteria com uma pedra de âmbar engastada. Mas não precisa exagerar! Eu tenho quatro colares, um par de brincos, um bracelete e dois anéis de âmbar, mas nunca usei todos de uma só vez. Porém, se você tem um conjunto que inclui um colar, um par de brincos, um bracelete e um anel, tudo bem. Use-os da maneira que achar melhor. Só tenha em mente que, embora se espere que as pessoas notem as suas belas peças, você quer que elas reparem em você, não apenas nas suas joias. Se quer um visual mais despojado, no entanto, talvez seja melhor usar apenas um pingente pequeno mas bonito, que destaque a beleza do seu colo. Isso vai ser suficiente. Ou, se preferir um estilo mais sofisticado, experimente um pingente maior, numa corrente comprida, combinando com um anel ou bracelete. Use o seu senso de estilo como guia. Se quiser um ar mais conservador, talvez para uma entrevista de emprego, você pode usar um anel pequeno ou um saquinho escondido com um âmbar dentro (para combinar com o Talismã para o Sucesso).

Primeiro, carregue o âmbar de acordo com o tipo de atração que você deseja. Mas tenha cuidado: você pode conseguir exatamente o que está desejando! E alguns tipos de atração não são desejáveis...

O encantamento da sua joia acabará se desgastando, por isso recarregue-a cada vez que achar necessário. Se usar a mesma pedra sempre para o mesmo propósito, não precisará dedicá-la.

Lembre-se sempre de visualizar sua melhor imagem e projetá-la, juntamente com uma atitude positiva. Você também precisa ter uma atitude, no dia a dia, que reforce a sua magia. Não pode esperar ter sucesso com esses encantamentos se não tiver cuidado com sua aparência, higiene pessoal e comportamento.

Limpe a sua joia primeiro. A menos que seja especificado de outro modo, sempre segure a peça com a sua mão projetiva, enquanto visualiza o seu propósito e entoa seu cântico.

Para ter uma aparência positiva

Use esta magia para atrair uma energia positiva e para que as coisas aconteçam do jeito que você quer.

Ajude-me a projetar as minhas qualidades.
Para conquistar boas oportunidades.
Favoreça-me com um ar diferenciado
Que o meu rosto seja o mais notado.

Para a beleza física — valorize seus mais belos traços

Esta magia contribui para que os seus mais belos traços físicos se destaquem e atraiam a atenção das outras pessoas.

Caro âmbar, de beleza sem idade,
Te peço em nome da nossa amizade
Que eu também possua uma beleza assim
E que os outros só vejam o melhor em mim.

Magia para atrair o olhar de alguém

Há muitas maneiras de alguém se destacar numa multidão, mas algumas delas colocam a pessoa sob uma luz desfavorável. Esta magia foi projetada para fazê-lo ser notado, mas de um modo sutil. Daí para frente, o que a outra pessoa vê depende de você. Este encantamento não altera nada na sua personalidade ou aparência, mas faz com que seus melhores atributos sejam notados e você não seja apenas visto, mas visto de forma favorável.

Cântico:

Âmbar, agora seu brilho me empreste.
Para que minha beleza se manifeste.
Que todos os olhos se voltem para mim,
Para o bem de todos, será assim.

Magia para atrair uma pessoa específica

Embora não seja uma boa ideia interferir no livre-arbítrio das outras pessoas, este é um encantamento "seguro", para que você possa saber se a pessoa que deseja tem interesse em você também. Faça-o e depois fique atento a sinais sutis. Se a pessoa que você quer não notar você, não force a barra. Nunca tente manipular ninguém para que se apaixone por você — suas ações, sem dúvida, serão contraproducentes. Entoe três vezes:

Esta pessoa será atraída para mim,
como a mariposa é atraída para a chama.
Mas somente se ela estiver a fim,
Pois não quero ninguém que não me ama.

Esta magia é destinada a ajudá-lo a descobrir se a atração é mútua; não se destina a impulsionar um relacionamento ou mudar os sentimentos de alguém por você. Você também pode combinar este encantamento com A Magia para Atrair o Olhar de Alguém, assim a sua chance de ser notado será duas vezes maior.

Magias com anéis

Os anéis são uma das mais antigas formas de joia. Segundo a mitologia grega, Prometeu foi a primeira pessoa a usar um anel. Ele foi perdoado por Zeus por seu crime de roubar o fogo e dá-lo aos seres humanos, mas, por castigo, foi condenado a usar no dedo um anel de ferro com um fragmento da rocha do Cáucaso engastado, para que, simbolicamente, ficasse para sempre "acorrentado" àquela montanha.

Os anéis são mais utilizados para representar um vínculo — como anéis de casamento, anéis de formatura e assim por diante. Mas eles também têm sido usados para simbolizar a perfeição, a realização e a vida eterna, pelo fato de o círculo não ter começo nem fim.

Os anéis parecem estar entre as formas mais populares de joias entre os praticantes de magia, tanto como adornos simples quanto como instrumentos mágicos ou rituais. Colares e pingentes são provavelmente tão populares quanto os anéis, mas, de acordo com a minha experiência, existe algo especialmente poderoso na visão de anéis nos dedos, provavelmente, porque muitas vezes trabalhamos com as mãos na magia.

Anel para a saúde e a vitalidade

Para este encantamento, tente encontrar um anel com uma das seguintes pedras: ágata, lápis-lazúli, olho-de-tigre, granada ou topázio. Limpe o anel para eliminar a sujeira física ou as manchas e depois coloque-o por algumas horas num copo d'água sob a luz solar. Visualize o sol aquecendo a água e essa luz de cura penetrando na pedra. Observação: não use esse método com o lápis-lazúli! Essa pedra é macia. Basta enxaguar com água e depois colocá-la no sol por mais de uma hora.

Cântico:

*Luz da vida, me encante
com sua energia quente e vibrante.*

Seque o anel e segure-o em sua mão projetiva. Visualize e cante novamente. Em seguida, execute o ritual. Coloque o anel na sua mão receptiva. Dance e veja a si mesmo na sua forma mais perfeita, no ápice da saúde e da beleza, no seu estado mais vibrante. Sinta isso. Saiba que, quando precisar de um incentivo, você poderá usar este anel para ajudá-lo a se sentir energizado. Capture a sua emoção mais radiante dentro da pedra. Quando usar esse anel, ele lhe transmitirá essa energia.

Anel mágico do dia a dia

Se você tem um anel favorito que usa todos os dias, pode dedicá-lo a um propósito mágico. Limpe seu anel e segure-o em sua mão projetiva para carregá-lo e/ou dedicá-lo para a finalidade da sua escolha. Visualize suas necessidades e objetivos. Dependendo do tipo de pedra que houver no anel, você pode optar por um tipo específico de carregamento, como luz solar ou luar.

Use este cântico para concentrar sua intenção:

*Pedra brilhante, meu anel preferido,
Atenda agora este meu novo pedido.*

Indique seu propósito.

Anel para o sucesso

As melhores pedras para este anel são o citrino e o olho-de-tigre. Ambas são pedras relacionadas ao elemento Fogo e podem ser usadas para atrair o sucesso e a prosperidade. Essas pedras também são uma boa opção para um anel de uso diário, pois o sucesso é muitas vezes algo que cultivamos em nossa vida todos os dias, e atrair essa qualidade positiva é um bom lembrete dos nossos objetivos e potencialidades.

O olho-de-tigre é uma pedra ligada à terra e à riqueza, e também é usada para conferir força e proteção. O lindo olho dourado do tigre é o símbolo perfeito das riquezas da terra, mesmo que ele esteja associado ao elemento Fogo. As faixas brilhantes brilham e reluzem na luz como um fogo interno. Pense nisso como uma representação do seu brilho e força interiores.

O citrino é mais adequado para atrair sucesso em geral e estimular o otimismo, a clareza mental ou, mais especificamente, para estimular os negócios ou os estudos. Na forma de gema facetada, o citrino é geralmente amarelo e deslumbrante como um raio de sol — alegre e otimista — um símbolo de sucesso.

Geralmente, sua mão projetiva é a mão com que você escreve — e é usada para projetar energia para fora. Sua mão receptiva atrai coisas para você. Nesse caso, qualquer mão pode ser usada. Por exemplo, você quer projetar uma atitude de sucesso e otimismo, mas também deseja atrair essas qualidades para você. Se não consegue decidir o que quer, experimente ambas as opções e decida qual das duas prefere. Não existem regras rígidas quando se trata disso.

Lave seu anel com delicadeza e deixe-o ao sol para secar. Quando estiver pronto para prosseguir, segure o anel na mão e medite sobre o seu propósito — sucesso, dinheiro ou uma combinação dos dois. Acenda uma vela branca ou amarela no seu altar e coloque o anel ao lado dela. Visualize a chama da vela infundindo o seu anel com energia.

Cântico:

Com este anel, rogo por sucesso
Que se mostrem os talentos que possuo
Deixe-me brilhar, deixe-me ter progresso
Pois só com a prosperidade compactuo.

Deixe a vela queimar até o fim. Recarregue o anel repetindo o encantamento sempre que sentir necessidade.

Variação:

Use o anel com o olho-de-tigre na mão receptiva, para atrair dinheiro, e o anel com o citrino na mão projetiva, para projetar uma atitude de sucesso.

Amuleto de proteção

Este amuleto é um saquinho para você carregar com você para onde for, por isso use uma pedra pequena. Faça esse amuleto durante a lua cheia ou crescente.

Pedras:

Use uma das seguintes pedras, dependendo da sua necessidade específica:
- Quartzo transparente: para todos os propósitos.
- Olho-de-tigre: coragem.
- Turmalina negra ou obsidiana: repelir energia negativa.
- Granada: protege contra roubos (é bom mantê-la dentro do carro).
- Turquesa: proteção durante jornadas espirituais.
- Pedra-da-lua: proteção durante viagens.

Outros itens:
- Incenso (olíbano, se possível).
- Uma vela de qualquer tamanho, branca ou vermelha.
- Um pedaço de tecido branco ou vermelho para embrulhar a pedra (ou um saquinho com a boca amarrada com barbante).
- Fita, barbante ou cordão.

Crie um espaço sagrado da maneira que preferir. Acenda o incenso e a vela. Passe a pedra pela fumaça do incenso e entoe:

Fumaça que se eleva, limpe esta pedra.

Em seguida (segurando a pedra com um alicate ou tenazes, se preferir), carregue-a passando-a rapidamente pela chama da vela e entoando:

Chama que integra, carregue esta pedra.

Segure a pedra com a sua mão projetiva e feche os dedos em torno dela. Concentre a sua intenção na sua necessidade específica. Entoe este cântico cinco vezes, em voz alta se quiser:

Pedra me guarde e afaste o perigo:
Que sua proteção esteja sempre comigo.

Embrulhe a pedra no tecido e amarre-o com um nó, usando a fita ou o barbante. Deixe a pedra embrulhada no tecido perto da vela até que esta queime até o fim. Deixe o incenso queimar até o fim também.

Carregue o amuleto com você no bolso, na bolsa, na valise ou na mochila, pelo tempo que achar necessário. Recarregue o amuleto sempre que sentir necessidade.

Talismã para aliviar a tensão

Use esta magia para uma situação em que você precise ficar alerta e ao mesmo tempo sereno, como no caso de uma apresentação, entrevista de emprego ou exame — qualquer situação tensa (pode ser até um primeiro encontro romântico) em que você precise manter a lucidez. Você também pode usar este encantamento como uma meditação, para ajudá-lo a encontrar um rumo na vida ou durante um período de marasmo, em que espera que as coisas aconteçam na sua vida. Nesta magia, você pode usar uma pedra solta ou engastada numa joia — de preferência de prata. Além disso, dê preferência a uma pedra rolada caso vá usá-la na meditação. Realize a magia quando a lua estiver no signo de Escorpião ou Peixes.

Você precisará de uma labradorita rolada, de uma labradorita engastada numa joia ou de ambas. Assim como a pedra-da-lua, a labradorita faz parte do grupo dos feldspatos. Essa pedra é uma variedade de plagioclásio e recebeu esse nome devido ao lugar onde foi descoberta — a região de Labrador, no Canadá. Essa pedra pode ajudar a reduzir o estresse e a ansiedade. Protege e equilibra a aura, ajuda na compreensão do seu destino, estimula a paciência, a perseverança e o conhecimento interior. Pode também lhe conferir discernimento para você saber qual o melhor rumo a seguir na vida ou para saber o momento certo para agir. (Este encantamento pode ser combinado com o Talismã para o Sucesso.) Associada à lua, a labradorita tem uma energia suave e feminina, e pode ajudá-lo a ouvir sua intuição, o que é muito útil se você precisa tomar uma atitude rápido.

Selecione a(s) pedras(s) desejada(s), limpe-a(s) e prepare seu espaço sagado. Visualize seu objetivo específico enquanto segura a pedra ou a joia para carregá-la.

Cântico:

Mente afiada, lucidez redobrada,
Foco absoluto nesta hora e lugar.
Peço-te calma, pedra adorada,
para que neste teste eu possa passar.

Variação:

Se preferir, você pode fazer a meditação a seguir, enquanto espera que a magia surta efeito ou até em substituição a ela, caso a intuição lhe diga que é melhor ficar mais introspectivo do que partir para a ação. Também há casos em que é melhor praticá-la enquanto aguarda o resultado da ação.

Esta meditação ajuda a estabilizar a energia e garante que você permaneça calmo, focado e confiante. Se você não tiver certeza sobre a melhor atitude a tomar nessa situação, esta meditação pode ajudar a orientá-lo. Se preferir, use-a com algum método de divinação.

Cântico:

Que eu seja paciente enquanto espero,
A mão orientadora do Destino.
Aqui deixo meu desejo sincero
De que o resultado seja positivo.

Talismã para o sucesso

Faça este talismã para levar com você sempre que precisar atingir um objetivo ou estiver se aproximando da conclusão de algo a que se dedicou. Ele é especialmente útil em entrevistas de emprego, apresentações e exames. Existe uma variação que você pode usar se o seu objetivo for uma grande conquista ou acontecimento na sua vida: o trabalho dos seus sonhos, por exemplo, ou uma apresentação muito importante, cujo resultado possa transformar a sua vida.

Como você precisa levar este talismã para onde você for, escolha pedras de tamanho pequeno. Realize esta magia durante a fase crescente, quando a lua estiver nos signos de Touro, Virgem ou Capricórnio, se possível.

Pedras:
- Âmbar.
- Citrino.
- Uma joia com uma pedra de âmbar (opcional, caso você queira usá-la agora ou no futuro).

Outros itens:
- Um saquinho, de preferência amarelo.
- Uma raiz de cadarço-do-diabo (espécie de viburno, da família da madressilva).
- Incenso, vela, espelho (opcional).

Coloque as pedras e a erva no saquinho e feche-o a com segurança. Você pode queimar uma vela próxima a ele, se quiser, ou colocar o saquinho sobre um espelho, perto de uma janela onde bata sol. Queime o incenso mais apropriado para o seu propósito ou com o aroma que mais preferir. Visualize sua necessidade específica e entoe:

Terei sucesso, meu objetivo é certo.
Terei sucesso, meu caminho está aberto.
Terei sucesso, da vitória estou perto.

Carregue o saquinho com você.

Variação:
Adicione uma joia com uma pedra de labradorita durante o processo de programação da pedra (veja o Talismã para Aliviar a Tensão). Essa pedra pode ser especialmente útil quando você estiver diante de uma oportunidade que acredita fazer parte do seu destino ou estiver ouvindo um chamado forte para atingir um objetivo na vida. Ela confere força e perseverança, além de ter um efeito calmante, semelhante ao da pedra-da-lua (ambas são feldspatos e podem ser usadas para promover a autoconsciência). A labradorita também ajuda a transformar a intuição em informação intelectual, servindo como uma ponte entre o misticismo e a capacidade psíquica, e levando ao entendimento de como usar essa sabedoria. A labradorita facilita a transformação e nos ajuda a reconhecer o momento "certo" para agir. Permite que transcendamos as limitações e abracemos o momento com confiança.

Uma amiga minha estava usando um pingente de labradorita no momento em que recebeu uma oferta de trabalho decisiva. Tratava-se apenas de um estágio de meio período, mas que lhe permitiu adquirir experiência em seu campo de estudo e perseguir seu sonho. Quando chegou a hora de fazer uma entrevista para um cargo de período integral em seu campo de atuação, ela usava o mesmo pingente (e carregava esse talismã). Além disso, combinou o talismã com um anel de âmbar, que continuou a usar durante o processo de seleção. E, sim, ela conseguiu o emprego e agora está progredindo feliz em sua carreira.

Talismã para o sucesso em questões relacionadas à Justiça

Leve este talismã com você durante qualquer tipo de processo judicial ou situação que envolva a Justiça, tais como multas ou impostos. Uma amiga minha carregou esse talismã durante todo o caso de falência da sua empresa, e tudo transcorreu da melhor maneira possível — aliás, melhor do que ela esperava, na verdade. Concentre-se no melhor resultado possível. Você vai precisar de:

- Uma pedra de granada grossulária, de cor verde pálido (ou laranja).
- Uma ponta pequena de quartzo transparente (opcional) para aumentar a energia da granada.
- Um saquinho fechado com cordão, branco ou amarelo.
- Três cravos amarelos ou cor de laranja, frescos ou secos.

Coloque as pedras e as pétalas das flores dentro do saquinho e amarre o cordão três vezes. A cada nó que der, diga as seguintes palavras:

O sucesso será meu desta vez,
Resolverei tudo com rapidez.
O resultado me favorecerá
Como eu quiser, assim será.

Carregue o talismã com você até que o problema esteja resolvido e certifique-se de estar com ele quando se encontrar com advogados, especialmente se tiver de comparecer diante do juiz. Às mulheres, recomendo que o mantenham na bolsa; aos homens, que o carreguem numa valise ou no bolso.

Amuleto de pedra-da-lua para viagens

A pedra-da-lua tem a reputação de ser "a pedra do viajante". Eu uso esse amuleto para qualquer tipo de viagem em que vou passar pelo menos uma noite fora e também para viagens longas durante o dia. Para esta magia, você vai precisar de três pedras-da-lua pequenas — uma para deixar em casa em seu altar, uma para levar com você e outra para deixar dentro da mala. A pedra que você carrega pode ser na forma de joia, se quiser (ou use as três pedras e adicione uma peça de joalheria também). Eu costumo usar um anel, além de levar uma pedra solta na bolsa ou na bagagem de mão. A outra fica na minha mala.

Dedique as três peças ao mesmo tempo. Visualize um vínculo entre elas, conectando você com o seu lar e mantendo essa conexão durante a viagem. Você pode colocá-las ao lado de uma vela, se desejar, ou simplesmente segurá-las enquanto imagina uma jornada segura e agradável, e você voltando para casa em segurança.

Cântico:

Nesta jornada, mantenha-me seguro por terra ar ou mar,
Garanta-me uma viagem agradável e um seguro retorno ao lar.

Deixe uma pedra no altar até a sua volta. Mantenha uma delas numa mala ou mochila, e leve a outra no bolso ou bolsa.

Magia com fluorita para a concentração

A fluorita não tem uma longa história metafísica. Na verdade, é considerada por alguns como uma pedra da Nova Era. Por causa de suas muitas cores e encantadoras formações, essa pedra definitivamente tem um lugar na magia com cristais. (E, sim, ela é a fonte do flúor.) Do ponto de vista metafísico, a fluorita promove a ordem e a razão. Pode ajudar na concentração e na meditação. De acordo com o detalhado livro de referência *Love is in the Earth*, a fluorita é a "pedra do discernimento e da aptidão". Alguns também a chamam de "pedra genial". Ela tem uma estrutura interna cúbica (consulte o Apêndice para uma explicação completa da estrutura de cristal), e muitas vezes é encontrada na forma adorável de um octaedro natural (oito lados). Os octaedros são especialmente úteis para promover um ambiente organizado. Para usar os octaedros, carregue-os num saquinho a fim de protegê-los e evitar que as pontas se quebrem.

Além disso, a fluorita é muitas vezes esculpida em esferas e pontas, e algumas delas exibem uma mistura maravilhosa de tons violeta, azuis e verdes. Estas são excelentes pedras de meditação quando esculpidas, uma vez que transmitem uma sensação de suavidade e conforto quando as seguramos na mão. Você pode não encontrar uma grande quantidade de joias com fluoritas nas lojas (não é uma pedra muito durável e é fácil arranhá-la), no entanto pode encontrar contas de fluorita para fazer suas próprias joias. Essas pedras também são às vezes encontradas na forma de pontas esculpidas, que podem ser usadas como pingentes.

Nas ocasiões em que a sua vida parecer particularmente caótica ou estiver difícil se concentrar ou manter o foco, use esta magia. Pode usar fluoritas de qualquer cor, mas saiba que a transparente é a que tem o efeito mais genérico. Porém, para deixar seu encantamento mais específico, use uma fluorita de uma cor associada ao seu propósito.

O octaedro é a melhor opção neste caso, mas você pode usar uma forma esculpida, se isso for tudo que você tem. Leve a pedra com você, segure-a durante a meditação ou mantenha-a próxima a uma mesa ou escrivaninha. Para cada propósito a seguir, limpe a pedra, depois segure-a enquanto visualiza seu objetivo e entoa:

Transparente/geral
Pedra da ordem, acalme a minha mente,
Foque minha energia no meu objetivo somente.

Azul/concentração
Ajude minha mensagem a ser ouvida,
Em tom alto e claro, quero que seja entendida.

Roxa/Terceiro Olho
Me dê o saber de que preciso,
Intuição, traga algo preciso.

Amarelo/criatividade
Peço inspiração para a minha arte,
Com meu suor faço minha parte.

Verde/para arejar um ambiente
Meu espaço, agora, quero limpo e renovado.
Para meu propósito, um clima harmonizado.

Talismã para aceitar perdas e confortar o coração

Infelizmente, as perdas são inevitáveis. Seja a perda de um ente querido, de um animal de estimação, de um relacionamento ou até de um emprego, todos passaremos por algumas dessas experiências uma vez na vida. Embora não exista magia ou pedra neste mundo que possa fazer a dor desaparecer, às vezes o seu simples reconhecimento pode nos ajudar a começar a aceitá-la. Faça este talismã em qualquer situação em que você precise ser confortado ou aceitar algo (uma perda, um coração partido ou uma decepção).

Pedras:
- A obsidiana lágrima de apache facilita o perdão e ajuda você a aceitar a dor. O elemento Fogo o ajuda a seguir em frente.
- A lepidolita é uma adorável pedra de transição. Ela promove o amor-próprio e suaviza as emoções. Pode ajudá-lo a entender a raiz da sua angústia, se você não consegue identificá-la. Esta pedra também transmite o conforto proporcionado pelo elemento Água.
- Opcional: a dolomita alivia a tristeza e o ajuda a entender e aceitar o que a vida lhe apresenta.

Carregue as pedras segurando-as e visualizando suas qualidades envolvendo você, como um aconchegante cobertor. Para fazer uma trouxinha, coloque as pedras num saquinho branco e amarre com uma fita branca.

Cântico:

Na hora de dor e necessidade
Ajude-me a encarar a verdade.
Se a lição tem de ser aprendida,
Ajude a cicatrizar a ferida.
Conforte-me na escuridão
Dê forças ao meu coração.

Magia com citrino para abrir caminhos

Este encantamento ajuda a eliminar as barreiras entre você e o seu objetivo, principalmente se estiver relacionado aos negócios, à vida profissional ou aos estudos. O citrino não só é uma pedra para promover o sucesso e a prosperidade, mas também facilita a comunicação e exerce um efeito positivo em qualquer situação. Também é uma pedra de otimismo. O elemento Fogo é utilizado aqui para o crescimento, o movimento e a mudança.

Você pode lançá-lo apenas com essa pedra ou combinando uma pedra e uma drusa. Ele é simples e sutil, portanto você tanto pode carregar a pedra com você como pode deixá-la em casa ou no local de trabalho.

Talvez você esteja esperando uma promoção ou receber notícias sobre um trabalho a que se candidatou. Ou pode estar esperando um aumento, mas tem consciência de alguns obstáculos que estão além do seu controle. Talvez esteja esperando a documentação de um empréstimo sair, para você iniciar seu próprio negócio, ou um aviso de que ganhou uma bolsa de estudos para uma faculdade ou uma ajuda financeira para pagar as mensalidades. Sempre que você se sentir bloqueado no seu dia a dia, use esta magia. Ela é especialmente eficaz se o encantamento for lançado durante a lua minguante.

Você precisará de uma pequena ponta de citrino. Além dela, também poderá usar uma drusa de citrino, uma peça que possa ficar perto de você em casa ou no trabalho. Se não tiver uma ponta de citrino ou uma drusa, use uma joia de citrino ou uma pedra rolada.

Se quiser, pode usar um método de divinação antes desse encantamento, para ajudá-lo a descobrir a melhor maneira de proceder. Fazer magias como esta é como lidar com as pessoas: às vezes precisa usar de delicadeza, às vezes precisa ser mais assertivo. Defina se você precisa dissolver suavemente a barreira, rompê-la ou até queimá-la. Esta magia pode ser vigorosa, se você usar a imagem do Fogo para queimar e transformar (não use o fogo literalmente, é claro), ou pode ser um pouco mais suave, como acontece quando os obstáculos se dissipam. Você entendeu a ideia. Se sentir que precisa de uma abordagem mais suave, use a versão alternativa.

Carregue/dedique sua(s) pedra(s) como desejar. Visualize sua necessidade ou objetivo, e "veja" os seus caminhos abertos. Como o citrino está associado ao sol e ao fogo, imagine a ponta de cristal enviando uma chama para derreter as barreiras que bloqueiam seu caminho para o sucesso. Uma razão pela qual uma pequena drusa é uma adição benéfica é que você pode visualizar a energia se projetando de todos os pontos de uma só vez. Segure a(s) pedra(s) em sua mão projetiva enquanto entoa o cântico e visualiza. Carregue a pedra com você e coloque a drusa onde você pode vê-la, no ambiente do objetivo desejado.

Se você souber qual é o obstáculo, visualize-o. E se não souber, simplesmente imagine que tudo o que pode estar no seu caminho esteja sendo removido e você possa se ver onde quer estar.

Cântico:

Algo bloqueia o caminho à frente,
Me impede de fazer o que tenho em mente.
Que esta pedra derreta todo impedimento
Como o fogo que brilha no firmamento.
Sem mais atrasos no meu caminho,
Para a vitória agora me encaminho.
Pelo bem maior, vou ter sucesso,
Meu plano agora vai ser expresso.
Meu maior desejo se realiza,
E na minha vida se concretiza.

Combine isso com a magia das velas se quiser, acendendo uma vela no seu altar enquanto carrega sua(s) pedra(s) ou joias. Use uma vela branca, amarela ou dourada.

Variação:

Neste outro método de "dissolução", use a pedra azurita, que está associada ao elemento Água. Carregue uma pedra pequena com você ou uma joia que contenha uma azurita.

Cântico:

Algo bloqueia o caminho adiante,
E me impede de seguir avante.
Que tudo que me barra,
Seja levado pela água.
Sem mais atrasos no meu caminho,
Para a vitória agora me encaminho.
Pelo bem maior, vou ter sucesso,
Meu plano agora vai ser expresso.
Meu maior desejo se realiza,
E na minha vida se concretiza!

Magia de proteção

Este encantamento exige um "sol" de pirita, ou seja, uma formação especial de pirita que parece um disco achatado. Esses discos são às vezes vendidos com o nome de "dólar de pirita" ou "dólar de marcassita". A marcassita e a pirita são polimorfos (como o diamante e o grafite, que são ambos carbono). A pirita e a marcassita têm a mesma composição química, mas diferentes estruturas e a forma de cristal. A marcassita é normalmente usada em joias.

A razão dessa formação específica não é certa, mas você deve encontrá-la numa loja de pedras e minerais em geral. Até agora, o único lugar nos Estados Unidos em que se encontram essas formações são as minas de carvão de Illinois. Eu já tive duas pedras dessas na minha coleção — "perdi" uma, então comprei outra. Claro que, depois de comprar a nova, encontrei a primeira. Talvez o universo achasse que eu precisava de duas! As pedras que tenho são um pouco diferentes na aparência e agora estou feliz por ter dois exemplares diferentes.

Conhecemos a pirita como "o ouro dos tolos", e o nome "pirita" vem do grego *pyros*, que significa "fogo". O corte da pirita com outra pedra produz faíscas; acredita-se que na Idade da Pedra usavam esse método para fazer fogo. Algumas fontes dizem que essa pedra nunca deve ser colocada na água. Faça o que achar melhor. Devido à associação da pirita com o elemento Fogo, a luz solar é o melhor método para carregar essa pedra em particular.

Execute esta magia entre a fase crescente e a cheia, com a lua no signo de Áries, se possível. Comece carregando seu "sol" de pirita sob luz solar durante o período da lua cheia. Se desejar, coloque-o sobre um leito de quartzo transparente ou de sal marinho. Às vezes, essas pedras são vendidas com um pequeno suporte, para que possam ser exibidas como peça decorativa. Você pode usar esse suporte se preferir. Visualize a pedra absorvendo os raios do sol e retendo essa poderosa energia.

Cântico:

Sol de pirita, capte esta luz,
Em suas entranhas ela se introduz.

Quando sentir que sua pedra já foi suficientemente carregada, prossiga com o encantamento. Segure a pedra com a sua mão projetiva. Visualize-a como um escudo de verdade, que seria usado numa batalha. Imagine tudo do que você tem medo sendo repelido pela presença desse escudo. Nada pode perfurá-lo; ele repele toda negatividade e ofusca os olhos dos inimigos como uma explosão de luz solar.

Cântico:

Que esta pedra me sirva de escudo
Aumentando a força do que executo.
Dura como o ferro, brilhante como o sol,
Ela repele o mal e o ofusca como um farol.

Carregue essa pedra com você ou coloque-a sobre um pano vermelho no seu altar ou em outro lugar especial. Embora talismãs e amuletos geralmente sejam carregados ou usados no corpo, essa magia também será eficaz se você deixar a pedra no seu altar. Se optar por esse método, você pode visualizar o "escudo" em torno de você, não importa onde esteja. Obviamente, esse não é um escudo mágico que desvia golpes (por mais incrível que isso possa ser); seu efeito é aumentar a sua consciência e foco.

Magia do "dólar" de pirita

Esta magia usa a mesma formação de pirita que a magia do escudo. Como eu já disse, o disco de pirita às vezes é chamado de "sol" ou "dólar". Neste caso, usaremos a pedra para representar a riqueza e combiná-la com uma pepita de pirita que você pode carregar.

Você também precisará de:

- uma nota de um dólar ou de dois reais;
- um frasco de vidro transparente;
- uma vela votiva ou de *réchaud* verde;
- um pedaço de tecido verde ou branco com uma fita para amarrá-lo (ou um saquinho com cordão, verde ou branco).

Carregue seu disco de pirita (e sua pepita) conforme ensinado na magia do escudo. Dentro do frasco, coloque uma vela verde carregada para a prosperidade e, ao lado da vela, a pequena pepita de pirita. Coloque a nota de um dólar ou dois reais sobre o disco de pirita e o jarro sobre a nota. Visualize uma conexão entre as pedras e a vela: o "dólar" de pirita e a vela infundindo uma energia dourada de riqueza à pirita. Acenda a vela e entoe:

No fim do arco-íris há um pote de ouro,
Lendas contadas sobre um tesouro;
Que ele me traga seu brilho e energia
Prosperidade e sabedoria.

Quando a vela queimar até o fim e a cera esfriar, pegue a pepita de pirita, enrole a nota ao redor dela e embrulhe ambas no tecido, amarrando com a fita. Leve este talismã com você. Mantenha o "dólar" de pirita no seu altar.

Como fazer as suas próprias joias mágicas

Se você consegue colocar contas num fio, então pode fazer suas próprias joias! É simples assim! Uma irmã de coven me ensinou a técnica básica e eu já fiz dezenas de colares, pulseiras e até brincos. Na verdade, ela ensinou a técnica a todos do nosso coven para que possamos fazer as joias juntos. Se você quiser aprender a fazer isso, procure um livro ou vídeo na internet para começar, ou faça uma aula numa loja de artesanato. Além disso, como acontece com qualquer arte artesanal, você pode transformar o ato de fazer joias num verdadeiro ritual. Se os membros do seu grupo aprenderem essas técnicas juntos, essa pode ser uma maravilhosa experiência que fortalecerá a ligação entre vocês.

Vocês podem, inclusive, entoar uma palavra ou frase específica enquanto adicionam cada conta ao fio e depois dedicar a peça finalizada a um propósito. E também podem designar certas peças a rituais e celebrações especiais, como a pedra-da-lua para rituais de lua cheia e o quartzo enfumaçado ou o azeviche ao período da lua negra.

Ao comprar joias e suprimentos, tenha cuidado para não adquirir imitações baratas de pedras. Embora as contas de plástico e resina tenham baixo custo e possam ser bonitas para se usar no dia a dia, não servem para fazer boas joias mágicas. Você pode estar se perguntando se pode usar contas de vidro. E eu digo que, dependendo da sua finalidade, não há nenhum problema em se ter uma peça mágica feita de vidro. Elas são bonitas, feitas de material natural e encontradas em todas as cores que se pode imaginar. O vidro pode ser infundido com o seu poder pessoal, tal como qualquer tipo de arte. Também não há problema em acrescentar contas de vidro a uma joia com pedras de verdade; isso é o que eu recomendo se você planeja usar vidro nas suas joias mágicas. E não se esqueça de coisas naturais como madeira, pérolas e conchas. Conheça bem seus fornecedores e nunca compre uma peça que esteja ameaçada ou seja comercializada ilegalmente. As contas de madeira e de casca de árvore são geralmente baratas e fáceis de encontrar.

Se adquirir algumas ferramentas simples, você pode inclusive fazer reparos em peças quebradas ou desmontar peças antigas para fazer outras novas. Falando em joias quebradas, uma vez eu tive um anel carregado para um propósito mágico, mas, depois de usá-lo por mais de um ano, a pedra caiu. Por sorte, encontrei a pedra e poderia consertar o anel, mas percebi que eu não precisaria mais daquele anel para o propósito para o qual eu o tinha carregado. Então deixei o anel de lado (uma vez que, por se tratar de uma antiguidade, o reparo custaria mais do que paguei pelo anel) e comecei a usar nesse dedo um anel diferente, que por acaso tinha um propósito. Era uma pedra associada ao meu signo astrológico e, depois de algumas pesquisas, descobri que ela estava de fato associada a uma questão pessoal que eu estava enfrentando no momento. É engraçado como essas coisas se revelam. Então, preste atenção aos pequenos sinais, investigue as pedras que parecem "surgir diante dos seus olhos", e você pode acabar abordando algo na sua vida que precisa de atenção.

Joias para o coven

Se você é membro de um grupo, círculo ou coven, é bom que vocês tenham peças combinando para usar nas reuniões. Se comprarem pingentes, cada pessoa pode personalizar sua peça, usando a corrente ou pingentes que desejar. Como grupo, vocês podem dedicar suas peças ao mesmo tempo, durante um ritual. Este pode ser um momento poderoso, e vocês terão as suas joias para ajudá-los a sentir essa ligação, mesmo quando não estiverem juntos. Vocês também podem criar colares que tenham só algumas contas iguais. Ou podem aprender a fazer joias juntos, como nós fizemos!

Nosso coven tem pingentes de prata esterlina com um símbolo especial que tem significado para nós. No entanto, cada um de nós usa o símbolo do seu próprio jeito — deixo o meu solto para poder mudar a corrente; uma das senhoras do coven usa o pingente dela num colar de contas feito com uma de suas pedras de poder. Nós dedicamos nossas peças num ritual em grupo usando água de uma fonte sagrada. Eis aqui um cântico que você pode usar para dedicar joias num ritual em grupo (claro, vocês podem personalizar esse ritual ou criar o seu próprio).

Coloquem todas as peças no altar e entoem:

Por este símbolo, nós nos vinculamos,
Unidos pela amizade que cultivamos.
Irmãs/irmãos da Arte e da vida
Estejamos perto ou longe, seja noite ou dia.
Que estes símbolos nos mantenham fortes,
Para com ele sempre atrair a sorte.

Cada indivíduo segura sua peça e todos entoam:

Que essas peças nos sirvam e nos mostrem
A irmandade/fraternidade que nos deixa mais fortes.
Que elas nos unam sob o seguinte preceito:
Como queremos, que assim seja feito.

Coloquem as joias.

Como limpar joias de segunda mão

Algumas das mais interessantes joias com pedras podem ser encontradas em lojas de antiguidades e em brechós. Você também pode encontrar boas ofertas em vendas do tipo "família vende tudo", bem como em feirinhas de artesanato e na internet.

Uma vez, encontrei um lindo par de brincos de quartzo natural numa loja de artigos de segunda mão em Seattle. Tenho pingentes de ametista e malaquita, anéis de ônix, granada e olho-de-tigre, todos comprados em leilões on-line, e todos de segunda mão. Numa loja de antiguidades comprei um anel de âmbar incrível, engastado em prata de lei. Você pode encontrar algumas joias pouco usadas e com preços excelentes, portanto não as ignore.

Claro, você pode se preocupar com a energia que o objeto possui, pelo fato de ter passado pelas mãos de um proprietário anterior. Este encantamento destina-se a remover qualquer energia residual que você queira eliminar.

Ritual de limpeza

Usando um almofariz e um pilão, triture o alecrim seco com uma colher de sopa de sal marinho ou alguns grãos de olíbano. Deixe a peça descansar nessa mistura por 24 horas. Visualize a joia sendo purificada e pertencendo agora a você. Você também pode usar um elixir de limpeza (Capítulo 4).

Cântico:

Pedra usada, para mim novidade,
Reivindico agora sua propriedade.
Que seja purificada da energia anterior
Para o bem de todos, peço com ardor.

Como se desfazer de uma joia mágica

O que você faz quando uma joia que possui tem alguma negatividade associada a ela? Quando um relacionamento se rompe, as pessoas envolvidas costumam ter emoções contraditórias com relação às joias simbólicas que os uniram. Isso vale para casamentos, noivados, amizades e até covens.

Algumas pessoas simplesmente não conseguem se libertar das lembranças. Elas guardam a joia numa caixa, abandonam a caixa numa gaveta e seguem em frente. Para algumas pessoas isso não é difícil, especialmente se não há sentimentos negativos com respeito ao relacionamento. Mas e se houver sentimentos persistentes de negatividade? E se você não conseguir suportar nem ver a joia na sua casa?

Conheço uma moça que passou por uma situação como essa. A joia em questão não só lhe trazia más lembranças de uma traição como também a deixava preocupada com a possibilidade de ser um elo com a pessoa que a traiu, por isso ela queria romper completamente essa ligação e seguir em frente. Primeiro, ela colocou a joia num leito de sal, enquanto decidia o que fazer com ela. Pensou em várias soluções, como doar a joia, enterrá-la ou jogá-la no lixo. No final, ela limpou muito bem a peça e a doou para uma loja onde ela poderia ser vendida a outra pessoa. Sentiu que assim beneficiaria a todos e não cultivaria a lembrança do seu relacionamento fracassado. Depois que ela se livrou do lembrete físico, a cura teve início.

Se você sente que deve se desfazer de uma joia, antes dê um tempo a si mesmo e mantenha a peça longe dos seus olhos por um período. Você pode ter mais opções do que parece. Os metais podem ser derretidos e as pedras, reajustadas. Eu conheço um casal que tinha alianças de relacionamentos anteriores e, como um símbolo do seu novo amor, decidiram mandar derretê-las juntas. Com o ouro das alianças antigas, eles mandaram confeccionar anéis novos e incrustar diamantes neles. Ambos tinham guardado essas alianças por muitos anos antes de tomar essa decisão, e os anéis novos não eram alianças de casamento, apenas anéis de uso geral. Mesmo assim, essa foi uma maneira profundamente simbólica de reciclarem os materiais.

Uma joia especial pode se tornar uma herança de família, passada de geração em geração. Uma aliança de casamento associada a um relacionamento que não deu certo pode ser doada a um parente que vá se casar, embora seja importante que ela passe por uma limpeza primeiro.

Não há problema em se guardar uma joia caso você tenha boas lembranças associadas a ela. Apenas certifique-se de fazer uma limpeza antes de guardá-la. Isso ajudará a remover a sua negatividade e também representará uma limpeza simbólica do antigo, para abrir caminho para o novo. Se você ainda tem emoções muito fortes associadas à joia, mas ainda não quer se desfazer dela, peça a um amigo que a guarde na casa dele para você ou coloque-a no cofre de um banco.

Às vezes, por algum motivo, sentimos que uma peça utilizada num encantamento não pode ser suficientemente limpa e preferimos quebrá-la ou nos livrar dela. Nesse caso, convém realizarmos um ritual que simbolize a nossa separação da peça quebrada ou perdida, para promover uma sensação de conclusão.

Ritual de separação

Durante a lua minguante, coloque a joia num leito de sal marinho. Visualize a energia do item sendo neutralizada e purificada.

Cântico:

Símbolo do que costumava ser,
Símbolo do que não preciso mais,
Uma resolução pacífica encontrei,
Que eu agora possa seguir em paz.

Mantenha o objeto no sal até a lua nova. Então, decida como se desfazer dele, tendo em mente que pode ser algo tão simples quanto colocá-lo numa caixa e guardá-lo numa gaveta, caso se sinta confortável com isso. Outra ideia é mandar desmontar a peça e transformá-la em algo novo (se possível). Pergunte a si mesmo se descartar a peça é realmente necessário. Se for, encontre uma maneira segura para fazer isso.

Se a peça foi perdida e você quer promover uma separação simbólica, coloque um desenho ou foto dela sobre um leito de sal e siga as mesmas instruções. Quando o ritual estiver completo, destrua a foto ou o desenho.

Para descartar um amuleto, simplesmente desmonte-o e recicle seus componentes. Limpe todas as pedras que planeja usar novamente e enterre as ervas. Lave as fitas e panos, queime-os ou jogue-os fora. Às vezes é possível reciclar a cera das velas confeccionando-se outras velas com ela; caso isso não seja possível, jogue-a fora.

Três

Magias com cristais para a casa e o jardim

Introdução

Provavelmente não é nenhuma surpresa que eu tenha pedras em todos os cômodos da minha casa e no quintal. Geodos gigantescos descansam nas estantes da minha sala de estar; há castiçais de alabastro e quartzo sobre as mesas e prateleiras; e há drusas (à mostra ou não) em vários lugares do quarto, do banheiro e da cozinha. Também tenho algumas dessas fontes decorativas que produzem um som relaxante de água correndo entre as pedras; e é claro que adicionei algumas da minha própria coleção de pedras e pontas de cristal. Se eu olhar através da porta do meu quintal, vejo um grande pedaço de quartzo brilhando num canteiro; um pequeno geodo cintilante está meio enterrado no solo de um canteiro. Outros quartzos pequenos estão escondidos na horta e nos vasos. Assim como cada cômodo da casa, quase todos os canteiros de flores no meu quintal têm algum tipo de pedra para adorná-los. Alguns têm um propósito mágico, outros são só para decoração.

Os encantamentos deste capítulo são projetados para as ocasiões em que você deseja colocar pedras em determinados cômodos da casa ou no quintal, para aumentar a energia no local. As pedras ou cristais devem ser colocados no local com uma intenção e visualização específicas. Isso os torna mais do que uma peça meramente decorativa, pois eles têm um propósito, mesmo que você seja a única pessoa a saber disso.

A casa: cômodo por cômodo

As drusas são sempre uma boa escolha para a casa, pois promovem um senso de comunidade e harmonia entre os grupos, o que é perfeito para as famílias. Qualquer drusa de quartzo transparente é apropriada para a casa ou o jardim, seja qual for o seu propósito.

No entanto, existem certas qualidades que podemos promover em cada cômodo. Vamos agora fazer magia para a nossa casa!

Cozinha e sala de jantar

Você já notou que pessoas nas festas tendem a se reunir na cozinha, mesmo que haja outro cômodo espaçoso? A cozinha é o espaço em que a família se reúne. O centro da casa de muitas maneiras, mesmo que as famílias não façam refeições regulares todos os dias. Aqui estão algumas boas opções de pedra para se fazer magia com cristais na cozinha:

- As **ágatas** ancoram, promovem a saúde em geral e a longevidade, além de acalmar o ambiente.
- A **amazonita** e a **galena** podem ser usadas para promover a harmonia.
- A **crisocola** purifica o ambiente doméstico em geral, e promove o amor, a comunicação e a compreensão; os **fósseis** também são bons estabilizadores para todos os ambientes.
- O **jaspe** promove uma atmosfera nutritiva.

Encontre um lugar para colocar sua pedra ou pedras. Você é quem decide se quer que elas fiquem à vista de todos ou não. Se preferir, você pode guardá-las dentro de um armário.

Uma alternativa é incorporá-las a um centro de mesa ou simplesmente colocá-las sobre uma prateleira ou numa saliência da janela. Uma bela pedra no peitoril da janela pode ser um bom enfeite, principalmente se for acompanhada de ervas ou flores. Além disso, se você tem vasos de plantas, pode adicionar pedras a eles (veja a seção sobre jardins neste capítulo).

Selecione sua pedra ou combinação de pedras, ou uma drusa de cristal. Limpe-a e carregue-a ou dedique-a como desejar. Depois disso, entoe o cântico a seguir quando estiver colocando a(s) pedra(s) no local escolhido, visualizando seu(s) objetivo(s) específico(s):

Ao posicionar esta pedra
Revigoro a atmosfera do meu lar
Com um clima alegre e festivo
Onde as refeições vão se realizar.
Com o coração e a mente abertos,
Que o amor possa nos guiar.

Banheiro

Os banheiros são como um refúgio para algumas pessoas; um lugar privativo onde elas podem relaxar com uma boa ducha quente ou um banho de imersão, e oferecer a si mesmo alguns cuidados especiais, como fazer a manicure e cuidar da beleza em geral. Esse cômodo podem ser um retiro elegante como as salas de um spa, com velas e até plantas, ou um cômodo pequeno, puramente funcional, sem toques decorativos de nenhuma espécie. Às vezes, passamos por lá apenas para uma visita rápida ou para cuidar da higiene pessoal, no entanto o banheiro nunca deve ser um lugar negligenciado quando se trata de magia. Mesmo que você não costume passar muito tempo nesse cômodo, ele é um lugar muito pessoal (e necessário). É onde você deve se sentir envolvido por uma sensação de tranquilidade, o que pode ser um pouco mais difícil se você tiver que compartilhá-lo com várias pessoas. Se for esse o caso, esse cômodo pode, na verdade, acabar com toda a sua tranquilidade! Além disso, muitas vezes esse é o lugar para onde acabamos indo quando não nos sentimos bem fisicamente, por isso convém cultivar algumas qualidades relacionadas à saúde e à cura num banheiro.

Se você quiser se limitar a coisas mais simples, uma drusa de quartzo funciona bem. Você também pode simplesmente colocar uma pedra numa prateleira, ou na borda da pia ou da banheira. Pode até fixar uma pedra no chuveiro. Eis aqui algumas outras boas ideias:

- A **fluorita verde** limpa e causa uma sensação de "frescor".
- O **peridoto** é uma boa pedra de cura que regula os ciclos.
- A **galena** promove a harmonia, a ancoragem e a centralização.
- O **jaspe** é usado para nutrir, curar e acentuar a beleza.

Coloque as pedras no lugar escolhido enquanto entoa:

Calmo, sereno, este cômodo deve ser
Um lugar pacífico é o que vamos ter.
Refresque, renove é o que deve fazer,
O estresse e tensão você vai remover.

Também não deixe de usar sais de banho. Lembre-se, o sal é um mineral! Fazer seus próprios sais de banho carregados com energia mágica pode ser um encantamento poderoso. Você também pode carregar com magia os sais de banho que compra em lojas.

Aqui está uma receita para fazer um punhado de sais de banho de uso genérico: adicione várias gotas de seu óleo essencial favorito a duas xícaras de sal marinho. Depois acrescente ervas ou flores secas, se quiser. Misture bem e armazene num frasco hermeticamente fechado. Use esse sal em qualquer intenção mágica que precisar. Basta colocar um punhado do sal na água quente e visualizar sua intenção. Você também pode combiná-lo com a magia dos cristais ou das velas — ou ambas.

Dormitório

Outro cômodo usado como refúgio é o dormitório, que deve propiciar o relaxamento e ser um lugar para se descansar, dormir, sonhar, às vezes curar e, é claro, amar. É um cômodo que deve ser silencioso e sereno, o lugar onde nos despedimos do dia e damos as boas-vindas ao novo.

As boas opções de pedra para o dormitório são:

- **Ametista** — ajuda a dormir, é pacífica e espiritual.
- **Granada** — para lembrar os sonhos, também para o amor e a paciência.
- **Lepidolita** — dissipa pesadelos, reduz o estresse e a ansiedade, propicia um ambiente calmante.
- **Mica** — ajuda a dormir.
- **Pedra-da-lua** — calmante, desperta a intuição.
- **Quartzo leitoso** — estabiliza os sonhos.
- **Quartzo rosa** - promove amor universal, emoções, perdão.
- **Rodocrosita** — amor, equilíbrio emocional, saúde.
- **Rondonita** — amor, calmante.
- **Unakita** — de aparência semelhante ao quartzo rosa, mas mais eficaz para o ancoramento.

Use a(s) pedra(s) da sua escolha, visualize sua intenção e entoe:

Uma energia calma e suave,
Esta pedra vai irradiar.
Amor, paixão e serenidade
Quero sentir neste lugar.

Agora afirme o seu propósito.

Escritório ou quarto de estudos

Se o nosso espaço de trabalho fica em casa ou numa edícula (ou numa combinação de ambos), precisamos nos concentrar, mas também queremos ter calma sob estresse. Aqui estão algumas boas pedras para uma variedade de ambientes de trabalho ou para a área de estudo da sua casa:

- **Ágata** — ancoragem, desenvolvimento pessoal.
- **Amazonita** — ajuda a eliminar os aborrecimentos.
- **Aragonita** — promove a paciência, ajuda a aceitar responsabilidades.
- **Azeviche** — protege os negócios e as finanças.
- **Citrino** — pedra do comércio, educação, negócios, clareza mental, comunicação.
- **Enxofre** — dissolve suavemente as barreiras para o progresso.
- **Fluorita** — todas as cores: discernimento e aptidão.
- **Hematita** — Destreza manual, pedra da mente.
- **Howlita** — ajuda e acalma a comunicação, incentiva a sutileza e o tato.
- **Madeira petrificada** — ajuda a aliviar o estresse relacionado ao trabalho.
- **Magnetita** — motivação e propósito.
- **Olho-de-tigre** — foco e concentração, prosperidade, ajuda a concretizar ideias.
- **Pirita** — escudo contra a energia negativa, melhora a memória e a compreensão.
- **Quartzo rutilado** — estimula a função cerebral e a inspiração.
- **Quartzo turmalinado** — cria uma atmosfera de "resolução".
- **Sodalita** — lógica e objetividade.
- **Vanadinita** — facilita processos mentais, faz a ponte entre o pensamento e a inteligência.

Visualize sua necessidade específica e entoe:

Apresento a este cristal,
Meu propósito pessoal.

Coloco aqui minha intenção,
Para concentrar sua ação.
As qualidades que quero evocar
Vou agora enumerar:

Afirme o seu propósito.

Sala de estar/Sala de TV/Sala de jogos

Nesses cômodos da área social da casa, onde as pessoas se reúnem para diversão e entretenimento, as drusas de quartzo transparentes são especialmente úteis. Se você colocá-las num local visível, também vão ser um bom assunto de conversa.

Esses cômodos também são um excelente lugar para exibir castiçais de pedra, se você os possui. Claro, você também pode selecionar uma pedra específica para uma necessidade particular que possa ter. Visualize o resultado desejado e entoe:

Família e amigos,
Um lugar para entreter,
Diversão, alegria e paz
Deixe esta pedra manter.

Equilibre a sua casa: o centro e os quatro cantos

O propósito desta magia é identificar o "centro" da sua casa e os quatro cantos, para propiciar equilíbrio. Se você tem uma planta baixa da sua residência, seria o ideal; se não tem, desenhe uma você mesmo. Usando uma bússola, encontre o lado norte e indique cada ponto cardeal no seu diagrama ou planta.

Se tem uma casa de vários andares, qual deles você "sente" que é o centro da casa? Se a sua casa tem um porão e dois andares, talvez o centro da casa seja para você o andar principal. Algumas pessoas podem preferir usar o porão. Ou pode haver uma área no nível superior que "pareça" o centro da casa. A escolha é sua.

Para manter a energia do seu lar estável, você pode colocar uma grande drusa de quartzo perto ou no centro da casa (neste caso, o tamanho é importante — as drusas têm mais energia do que um único cristal). Se esta área for a sala, você poderá simplesmente usar sua(s) pedra(s) como decoração. Se esse espaço for um armário, você pode colocar uma pedra ou várias numa prateleira ou numa caixa. Tente chegar o mais próximo do centro que puder. Em seguida, procure colocar pedras semelhantes em cada uma das quatro direções. Como eu já disse, faça o melhor possível com o espaço que tem. Nos cantos, você pode usar pontas de cristais, voltadas para o centro da casa.

A ideia por trás do "centro e os quatro cantos" é trazer equilíbrio e harmonia para a energia da sua casa. Depois de colocar as pedras, visualize uma linha de energia conectando cada pedra, como uma rede ou teia, uma conexão entre todos eles, como feixes de luz ou energia. Comece do centro, vá para cada canto e volte novamente, ligando os cantos entre si.

Observação: os quatro cantos não precisam necessariamente ser as quatro direções perfeitas para que a energia fique em equilíbrio. Sua casa pode ser um quadrado perfeito, mas não corresponder exatamente aos quatro pontos cardeais: norte, sul, leste e oeste. Isso não é problema; use os quatro cantos como ligação para a pedra central. Depois que todas as pedras estiverem posicionadas, entoe:

Drusa de cristal, marque este centro,
Não permita nenhum mal porta adentro.
Quadrantes de cristal, eis o que importa:
Guardar cada cômodo, janela e porta.
A energia que vai do teto ao chão,
Todo espaço, armário e gaveta.
Ligados com o centro, um mais quatro é cinco.
Toda equilibrada, a casa está um brinco.

Variações:
- Você pode ligar essa prática aos encantamentos de proteção para o lado de fora da casa.
- Sinta-se livre para adaptar essa prática para qualquer ambiente da casa ou para um único cômodo, se morar no dormitório de uma faculdade, por exemplo.
- Use um pêndulo para localizar, na planta da sua casa, áreas específicas que precisem de equilíbrio. Você também pode fazer essa pesquisa para cada cômodo individual.

Fora de casa: proteção e limites

Infelizmente, em geral não podemos escolher os nossos vizinhos. Em qualquer lugar, quando você está preocupado com os limites da sua propriedade (por querer privacidade ou por outras razões) uma cerca é a escolha mais lógica, se for possível. Se você tem uma cerca, pode reforçá-la com a magia dos cristais. Se ter uma cerca não é uma opção, enterre pedras no chão para servir como um limite metafísico. O plantio estratégico de árvores e arbustos também é útil para delimitar a sua propriedade. As trepadeiras, que escalam treliças, são excelentes escolhas e podem se dar bem em apartamentos também. Use plantas em vasos na varanda e no telhado, ou tente jardineiras na janela. Você pode até colocar uma treliça dentro de uma jardineira e plantar uma primavera nela. Em pouco tempo você vai ter uma parede florida. Adicione pedras à jardineira. Ao posicionar as pedras, prefira o canto mais apropriado de acordo com a sua necessidade.

Delimite a sua propriedade com magia de proteção

Para esta magia, você precisará de três ou quatro pedras de ancoragem para deixar do lado de fora da propriedade. Você pode colocar uma em cada canto da propriedade ou apenas espalhá-las, uma no quintal da frente ou na varanda, as outras nas laterais ou nos fundos da casa.

Coloque as pedras à vista de todos, como ornamentos, ou oculte-as sob os arbustos ou em canteiros de flores. Você também pode, se quiser, usar itens já existentes na paisagem para ajudar a ancorar sua proteção, especialmente árvores grandes, cercas ou outros marcos. Use essa proteção para afastar intrusos e energias indesejadas. Visualize essas pedras como âncoras, formando uma rede protetora ou uma tela, com as pedras prendendo-a no lugar. Faça um percurso em torno da sua casa no sentido horário e, cada vez que posicionar uma pedra, entoe:

Mantenha toda a negatividade à distância,
Contra o perigo cuide com vigilância
Cada pedra colocada no lugar
É um escudo que protege meu lar.

Depois que colocou todas as pedras nos seus devidos lugares, complete a magia visualizando um feixe de energia ligando todas elas e formando uma rede de proteção que impeça energias e entidades indesejadas de entrarem na sua casa.

Proteja o perímetro da propriedade

Eis aqui uma versão mais simples de magia de proteção: coloque qualquer tipo de pedra em torno da sua propriedade, enquanto as visualiza formando uma cerca invisível.

Estou marcando um limite que não pode ser cruzado
Por quem não me quiser bem ou for mal-intencionado.
Será barrado quem quiser ultrapassar este traçado.

Para ter paz e privacidade:

Semelhante à "proteção ao redor da propriedade", este encantamento serve para preservar a sua privacidade. Coloque pedras ao longo do perímetro de toda a sua propriedade e nos jardins, no quintal e em outros espaços ao ar livre.

Dentro destes limites, minha privacidade é preservada.
Nenhum estranho entra aqui sem entrada autorizada.

Proteja as entradas da casa

Você pode prender cristais de quartzo nas guirlandas das portas ou pendurá-los nas janelas. Combine-os com um encantamento de proteção rápida. Visualize suas necessidades e entoe este cântico:

Cristal na janela,
Cristal na porta,
Na minha casa
Segurança é o que importa.

Proteção geral para o lar:

Eis aqui um encantamento que você também pode usar para proteger a sua casa. A sequência é a mesma: visualizar, colocar as pedras e entoar:

Posiciono estas pedras com intenção focada,
Para que possam proteger a minha casa.
Mantenham o equilíbrio e a tranquilidade,
Afastem todo mal ou adversidade.

Magias com pedras para o jardim

Em parte, é graças à minha mãe e à minha avó que tenho esse grande amor pelas pedras. Cresci apreciando os jardins de pedra que as duas construíam no quintal — anéis de pedra em torno das roseiras e bolas de cristal em pedestais, paredes de pedra cintilantes feitas com pedacinhos de cristal e rochas desgastadas pela água e com formas interessantes. Lembro-me de andar pelos leitos dos rios na companhia delas, procurando essas pedras desgastadas na água. (Vovó sempre dizia que as pedras com um buraco no meio dão sorte.) Agora, um jardim de flores não me parece completo se não tiver algum tipo de pedra decorativa!

Você pode esconder completamente as pedras se quiser, mas, se deixá-las à vista, elas acrescentarão um lindo toque decorativo ao jardim. Ou pode enterrá-las parcialmente e criar um jardim de pedras. A chave para criar um jardim de pedras é conservar sua aparência natural e enterrar as pedras no solo de modo que apenas uma parte delas fique acima da superfície. Isso dará a impressão de que as pedras sempre fizeram parte da paisagem. O jardim de pedras pode ser feito tanto numa pequena jardineira na janela quanto num enorme quintal. Depois, basta plantar em torno das pedras. Você pode usar grama, plantas anuais e perenes, ervas, árvores e arbustos, ou até hortaliças. E pode fazer magia em qualquer tipo de jardim de pedras. Não importa o tamanho do espaço que tenha, você pode criar um jardim de pedras encantador!

A maioria dos viveiros de plantas oferece pedras de jardim, de muitos tipos e tamanhos, mas eu prefiro fazer o meu jardim de pedras pessoalmente. Escolha o método que funciona melhor para você. Faça uma rápida pesquisa na internet e você verá centenas de fotos para inspirar seu projeto. O jardim de pedras pode ser simples e ocupar só uma parte do seu jardim ou pode abranger todo o espaço e ser formado por pedras grandes e caras. Você pode transformar um espaço existente no jardim ou simplesmente adicionar pedras a um canteiro de flores e hortaliças. Canteiros, vasos, cestas penduradas, jardineiras e sebes, quer contenham ervas, hortaliças, flores ou folhagens, são todos eles locais apropriados para a magia com cristais.

Você pode adicionar pedras a outras características externas, como jardins aquáticos, fontes, anéis de pedra em torno de fogueiras — qualquer coisa em que possa pensar. Tenho uma grande fonte no meu quintal que tem uma concavidade no topo das pedras, assim como aquelas fontes domésticas para relaxamento. A intenção é que a água que corre pelas pedras produza um som agradável. Algumas pedras roladas foram incluídas quando a fonte foi comprada, mas, claro, adicionei algumas das minhas — uma ágata com bandas lindíssimas que parece ainda mais adorável quando molhada, e um granito. Essa é uma ótima maneira de usar a magia com cristais no exterior da casa e também incluir o elemento Água (veja a Magia da Fonte no final deste capítulo).

Aqui estão alguns encantamentos para tipos específicos de jardins. Como existem muitos tipos de jardins, escolha algumas pedras da lista a seguir e encontre um cântico apropriado para o seu caso ou simplesmente coloque uma pedra perto da planta, para propiciar uma relação harmoniosa.

Combinações complementares para o jardim

Esta lista se baseia principalmente em correspondências planetárias.

- **Âmbar:** coloque perto de árvores cheias de seiva para fortalecê-las.
- **Ametista:** madressilva, tília, bordo, sálvia.
- **Aventurina:** amêndoa, álamo-tremedor, feijão, castanha-do-pará, alcaravia, aipo, trevo, endro, erva-doce, samambaia, lavanda, erva-de-limão, lírio-do-vale, manjerona, maçã, hortelã, amoreira, salsa, pecã, hortelã-pimenta.
- **Azeviche:** use em plantas próximas à sombra para fortalecê-las.
- **Citrino, cornalina:** cedro, camomila, calêndula, carvalho, laranja, alecrim, erva-de-são-joão, sorveira-brava, arruda, girassol, noz, avelã.
- **Heliotrópio, pirita:** manjericão, giesta, cactos, cenoura, pimentão, pimenta-malagueta, coentro, alho, gengibre, espinheiro, azevinho, lúpulo, rábano, alho-porró, mostarda, urtiga, cebola, poejo, pimentão, hortelã, pinho, rabanete, chalota, boca-de-leão, cardo, absinto, iúca.

- **Jade, sodalita:** violeta-africana, maçã, damasco, áster, abacate, centáurea-azul, banana, vidoeiro, amora, clerodendro, gatária, cereja, aquilégio, açafrão, abrótea, margarida, sabugueiro, dedaleira, gerânio, solidago, hibisco, jacinto, íris, lilás, artemísia, orquídea, maracujá, ervilha, pêssego, pera, caqui, ameixa, framboesa, ruibarbo, rosa, hortelã, morango, ervilha-de-cheiro, tomilho, tomate, tulipa, valeriana, verbena, violeta, trigo, salgueiro.
- **Lágrima de apache, hematita, ônix, serpentina, obsidiana:** amaranto, abrótea, faia, beterraba, cipreste, elmo, cânhamo, hera, orquídea, ipomeia, verbasco, amor-perfeito, álamo, acônito, teixo.
- **Lápis-lazúli:** use para melhorar a fertilidade do solo.
- **Pedra-da-lua:** babosa, coco, pepino, eucalipto, uva, gardênia, jasmim, alface, limão, lírio, lótus, papoula, batata, salgueiro.
- **Quartzo transparente:** é apropriado para todas as plantas, pois faz bem à saúde em geral e estimula o crescimento.
- **Turquesa:** coloque perto de plantas que estão se recuperando de uma praga ou doença.

Hortas

Enterre uma pedra num canto do seu jardim ou uma pedra em cada canto. Enquanto você posiciona cada pedra, visualize sua necessidade e entoe:

Alimente-nos com saudáveis alimentos
Isso é o que eu peço neste momento.

Jardim de ervas

Use este cântico enquanto posiciona cada pedra:

Ervas para magia, ervas para especiarias,
Com esta pedra, meu objetivo é a magia.

Crescer e florescer, folhas e flores,
Cultive seu poder, à sua escolha.

Pomares e frutas /bagas:

Visualize uma colheita abundante e entoe:

Frutas para compartilhar, frutas para comer,
Com esta pedra, muitos frutos vou colher.

Sementes/mudas:

Visualize as mudas crescendo conforme entoa:

Plantas minhas, criem raízes,
Quero vê-las crescendo felizes.

Outras plantas:

Cresçam e floresçam, plantas da minha casa
Esta pedra as livrará de toda e qualquer praga.
Mantenha todas as doenças bem longe delas.
Minhas plantas queridas crescerão fortes e belas.

Jardins de fadas:

Sei, por experiência própria, que as fadas gostam de ter pedras bonitas e brilhantes no jardim. Não é preciso que sejam apenas quartzos transparentes; você pode usar qualquer pedra que tenha uma ótima aparência. Geodos e pedras com um buraco no meio são uma ótima opção. Depois de posicionar as pedras, visualize e entoe:

Sejam bem-vindas, Fadas, a este lugar
Tragam sua graça para que nele só reine a paz.

Magia de proteção para o jardim

Além de qualquer método que você use para manter as pragas longe do seu jardim, um pouquinho de magia não vai fazer mal. Tento manter um jardim que seja um bom hábitat para a vida selvagem, mas às vezes até os mais amáveis esquilos e coelhos estragam as plantas. Dê comida a eles e nunca deixe que lhes falte água. Isso pode ajudar a dissuadi-los. Pimenta vermelha moída em torno das plantas também pode dissuadi-los, ou considere a possibilidade de cultivar algumas plantas especiais só para servir de alimentos aos animais selvagens.

Para este encantamento, coloque um quartzo transparente em cada canto do jardim. E entoe o cântico a seguir enquanto posiciona cada pedra:

Animais são bem-vindos no meu jardim,
Só peço que o deixem intacto para mim.
Não estraguem as plantas deste lugar.
O que lhes peço esta pedra vai concretizar.

Para evitar a perda de pequenos cristais no jardim ou em grandes canteiros de flores, coloque-as ao lado de uma grande rocha, para que você possa localizá-lo, pois às vezes as pedrinhas ficam enterradas depois de uma forte chuva. Outra opção é usar pedras que você não se importe de perder. Muitas vezes é possível comprar pedras de baixo preço em lojas ou feirinhas.

Magia da fonte

Como gosto muito de fontes, tanto dentro quanto fora de casa, costumo usá-las em encantamentos para incorporar todos os elementos. Perto de uma fonte de água corrente e pedras, acenda uma vela. Dessa forma, você estará utilizando a Terra, o Ar, o Fogo e a Água. Algumas fontes têm até castiçais embutidos. Selecione pedras de acordo com as suas necessidades e carregue-as. Acenda a vela, visualize e entoe os versos enquanto segura a pedra:

Ar e Fogo, Terra e Água
Atendam ao pedido que lhes faço.
Sem que ninguém saia prejudicado,
Terei o que quero sem embaraço.

Afirme seu objetivo e posicione a(s) pedra(s) na fonte.

Quatro

Elixires e essências de cristais

Introdução

Se existe um verdadeiro elixir da vida, esse elixir é a água. Ela não só é essencial à vida, como é talvez a origem de toda a vida. Combine a água com cristais para fazer um elixir e você terá uma potente poção metafísica.

Há quem acredite que os pensamentos que projetamos e as palavras que proferimos podem ter um efeito considerável sobre os cristais de gelo. O cientista dr. Masaru Emoto procura provar isso em seu livro *The Hidden Messages in Water**. Na prática da magia, acreditamos que nossa intenção tenha poder. Se podemos projetar essas intenção nos cristais e até ainda mais facilmente na água, os elixires de cristal podem ser um poderoso catalisador de magia. Nossos pensamentos afetam nosso corpo. Somos o que pensamos. Quando você fizer um elixir para beber, pense nele como uma poção ou tônico para promover a mudança, um transmissor de mensagens, uma maneira de manifestar suas intenções, emoções e pensamentos.

---

* *Mensagens Ocultas na Água*, publicado pela Editora Cultrix, São Paulo, 2009.

Podemos fazer elixires e essências de gemas mergulhando uma pedra na água, com a intenção metafísica de infundir a água com a energia desse cristal. Existe uma diferença entre elixires e essências, e a maioria deles não é apropriada para consumo. São usados principalmente em magias e rituais. Quero deixar bem claro aqui: **os elixires e essências apresentados neste livro (com exceção dos elixires de cristal transparente) não devem ser ingeridos**. Alguns minerais são tóxicos, e alguns que você pode achar seguros na verdade contêm resquícios de minerais tóxicos. O único elixir que eu consideraria a possibilidade de beber é o de quartzo transparente, e mesmo assim seria apenas um gole ou dois. Esteja ciente de que, segundo a literatura referente a cristais, **nenhuma pedra é realmente segura quando se trata desse propósito**. Se você quiser beber a água, recomendo o método "seco" de produção de elixires, uma prática que explicarei neste capítulo. Se optar por esse método, você pode utilizar qualquer pedra, desde que ela não entre em contato com a água. Sempre tome cuidado ao manipular uma pedra se você não a conhece bem, especialmente a pedra metálica ou as azuis ou verdes (essas geralmente contêm cobre).

Na Europa medieval, eram utilizados elixires de pedra para criar amuletos e talismãs. Acredita-se que a pedra era colocada num recipiente de ouro ou prata, no qual depois se colocava vinho. Essa mistura era deixada à luz da lua durante três dias. O vinho poderia então ser consumido, e a pedra estava pronta (carregada) para ser usada num amuleto ou talismã.

Você pode experimentar esse método se quiser carregar uma pedra, mas, repito, não recomendo que você beba o líquido. É melhor, em vez disso, derramá-lo no chão como uma oferenda.

Elixires e essências: qual a diferença?

A principal diferença entre essas "infusões" de pedra e água é a seguinte: o **elixir** é produzido quando se deixa na água uma pedra por um determinado período de tempo. A **essência** é produzida quando se deixa na água uma pedra por um *longo* período de tempo, para que depois esse líquido possa ser armazenado por um longo prazo. À essência, adiciona-se um conservante, como vodca ou vinagre, pois muitas vezes ela contém ervas e óleos essenciais. No caso do **elixir "seco"**, a pedra não é de fato imersa na água. Desse modo é possível aproveitar a energia da pedra de forma sutil. Esse também é chamado de método indireto.

A razão por que se costuma usar conservantes nos elixires com ervas é que as fibras dos vegetais se rompem e podem apodrecer na água. Se você prefere evitar conservantes, mas ainda assim quer usar ervas em seus elixires, faça a infusão de ervas (como se fizesse um chá) antes de adicionar a pedra e carregá-la. Com a fermentação e a filtragem, você produzirá uma infusão que pode ser armazenada por um longo período.

Elixir básico (não é apropriado para consumo)

1. Escolha uma pedra e carregue-a para o seu propósito.
2. Providencie a água e o recipiente. Eu recomendo que você faça um elixir de cristal da água que recolheu de uma nascente ou outra fonte natural. Você também pode usar água da chuva ou neve derretida. Pode usar uma garrafa decorativa com uma rolha ou uma jarra com uma tampa de rosca.
3. Escolha um método: luz solar ou luar, ou ambos.
4. Use qualquer técnica de visualização que considere apropriada. Você pode imaginar a luz penetrando no cristal (carregado com a sua intenção) e depois transferindo sua energia para a água. Se quiser, pode dispor pedras de quartzo ao redor do recipiente, com as pontas voltadas para dentro. Ou rodear o recipiente com um anel de pedras da sua escolha, dependendo do propósito do elixir ou das pedras que correspondem ao sol e à lua.
5. Armazenamento: se não adicionar ervas ou óleos, despeje a água no recipiente de armazenamento que você selecionou (a menos que tenha feito o elixir nesse recipiente). Você pode

deixar a pedra no recipiente (certifique-se de que não seja uma pedra solúvel em água). Um elixir simples de pedras, feito apenas de água, pode ser armazenado durante um longo período de tempo, mas pode ficar "obsoleto" do ponto de vista mágico. É melhor usar essa água para limpar as pedras ou outros fins de consagração. E pode deixá-la sobre o altar se quiser.
6. Quando já tiver acabado de usar a pedra, limpe-a e recarregue-a sob a luz solar ou ao luar, se quiser. Evite fazer outro elixir com essa pedra por alguns meses. Deixe-a descansar.

Essência básica (não é apropriada para consumo)

Essas essências são muitas vezes misturadas com ervas e óleos e podem ser armazenadas por um longo período.

1. Faça o elixir adicionando uma pedra à água num recipiente de vidro.
2. Deixe que a mistura fique sob a luz solar ou sob a luz da lua por pelo menos seis horas. Num outro recipiente de vidro que fique bem tampado, despeje metade da vodca ou vinagre e metade da infusão do seu cristal.
3. Remova a pedra (ou deixe-a na infusão, se preferir).
4. Adicione ervas ou infusões de ervas, óleos etc., conforme desejar. Você pode adicionar as ervas e óleos antes de deixar a mistura sob a luz solar ou ao luar, mas o calor diminuirá o aroma dos óleos essenciais.
5. Você pode usar esta essência para misturar com outras essências e elixires.

Eis aqui um cântico para entoar enquanto faz uma essência:

Com o meu cristal
vou produzir uma essência.

*Deixando-o sob a luz,
aumento sua potência.*

Elixir indireto ou "seco"

Este método captura a energia da pedra sem submergi-la na água. É uma excelente escolha para pedras solúveis em água ou para pedras metálicas que são tóxicas. Coloque a pedra dentro de um recipiente de vidro *sem água* e cubra-o com uma tampa segura (um frasco de vidro funciona muito bem). Então, coloque o recipiente seco dentro de outro recipiente de vidro e adicione água ao recipiente externo. Se o recipiente interno for hermeticamente fechado, você pode submergi-lo completamente na água. Caso contrário, basta adicionar água até metade do recipiente interno. Coloque os recipientes ao sol ou ao luar. Se usar água potável, você pode consumir este elixir, *mas tenha certeza de que a água não entrou em contato com a pedra*. E, claro, certifique-se de que os recipientes estão limpos por dentro e por fora. Ao colocar o elixir sob a luz solar ou ao luar, convém cobrir seu(s) recipiente(s) com plástico, para que o vento não deposite nenhum objeto estranho (ou inseto!) na água. Você pode também cobrir o recipiente com uma placa de vidro transparente. Certifique-se de lavar as mãos depois de manusear qualquer pedra metálica.

Sugestões de elixires e essências

- Você pode adicionar ervas e óleos essenciais a um elixir. Uma mistura de água, algumas gotas de óleo, algumas ervas e um cristal pode ser uma ótima essência para fazer uma "névoa aromaterápica" destinada à limpeza da casa ou um óleo de banho. Lembre-se de usar esta mistura dentro de um alguns dias, especialmente se adicionar ervas à água. Você pode armazenar esse elixir por mais tempo se fizer uma infusão de ervas em vez de adicionar as ervas à água.

- Algumas magias deste livro requerem um tipo específico de elixir, por isso convém ter alguns já preparados. Uma sugestão é que você produza um novo lote a cada lua cheia.
- Armazene seu elixir ou essência num frasco de vidro de cor escura e muito bem fechado. Uma boa ideia é reaproveitar os recipientes em que você compra outros produtos, como azeite, vinagre ou óleos de cozinha.
- Você também pode usar seus elixires como óleos de pedras para massagem. Primeiro, providencie a base do elixir, o óleo carreador, então deixe a pedra dentro do óleo por algumas horas. Use o óleo para banho ou massagem. Certifique-se de seguir as diretrizes da aromaterapia para a sua segurança. Não deixe de ler o rótulo do óleo para ter informações sobre o produto.
- Para criar um elixir da lua negra, coloque uma obsidiana na água e deixe-a ao ar livre durante a lua nova. Esse elixir pode ser usado para produzir uma névoa que dissipe a negatividade ou para limpar um objeto. Você também pode adicioná-lo à água da banheira para fazer um banho de purificação.
- Você pode coletar o orvalho da manhã das plantas usando um conta-gotas e adicioná-lo ao elixir. Ou use neve derretida, água da chuva ou água coletada de uma nascente especial.
- Lembre-se: beba apenas água que seja segura. Quando estiver em dúvida, não beba!
- Mergulhe um pano no elixir ou essência e faça compressa com ele em partes do corpo.

Elixir do sol

Use este elixir em qualquer magia que envolva energia solar, energia projetiva, sucesso, força ou proteção. Deixe-o sob a luz do sol o tempo que quiser, mas remova-o antes do anoitecer. Tente fazer isso da lua nova até a cheia, mesmo que você esteja fazendo um elixir "solar". O âmbar é uma excelente pedra para usarmos. Visualize a luz entrando na pedra, penetrando-a e depois passando para a água, infundindo-a, extraindo os minerais da pedra e impregnando o líquido, enquanto suas moléculas fazem uma conexão metafísica.

Cântico:
Ao sol, esta água é carregada
com o cristal ela se renova.
Luz solar brilhante e quente
Água clara, fresca e nova.

Elixir da lua

Use este elixir em qualquer magia que envolva energia lunar, energia receptiva, emoções, amor ou intuição. Deixe-o à luz da lua, durante a fase cheia, mas remova-a antes do nascer do sol. A pedra-da-lua é uma ótima escolha para este elixir.

Cântico:
À luz da lua, esta água se renova
Com o cristal ela é transformada.
Luar suave de brilho prateado
Água clara, fluida e energizada.

Elixir de limpeza e proteção

Este elixir combina sal, resina de olíbano, alecrim, limão e óleo essencial de cedro para dissipar a energia negativa e dar proteção. Primeiro, ferva a água como você faria para preparar chá. Despeje a água numa tigela de vidro e adicione o alecrim (fresco ou seco). Você pode usar uma gaze, um saquinho de chá ou deixar as ervas soltas. Corte a extremidade de um limão e esprema o suco na tigela; em seguida, jogue o restante do limão também. Adicione três grãos de sal marinho e um pedaço pequeno de resina de incenso, enquanto a água ainda está quente. Deixe essa mistura descansando para criar uma infusão. Quando a água esfriar, coloque a mistura num borrifador. Adicione uma ponta de quartzo transparente e três gotas de óleo essencial de cedro. Deixe o elixir à luz solar por algumas horas ou o dia inteiro. Opcional: para que o elixir tenha um aroma mais doce, adicione algumas gotas de laranja ao óleo essencial. Pulverize onde quiser, no período de alguns meses. Este elixir é uma boa escolha quando você tem que usar algum espaço que foi recentemente ocupado por outra pessoa (especialmente se você sabe que existe algum tipo de negatividade no local). É excelente para cômodos da casa, quartos de hotel, escritórios ou mesmo em automóveis. Depois de uma briga, ele pode ser usado para "limpar a atmosfera". Você também pode pulverizá-lo fora de casa e perto de portas e janelas. Ao pulverizar, visualize e entoe:

Limpe e recicle o clima deste local.
Devolva ao lugar o seu bom astral.

Elixir para dissipar energia negativa

Um elixir semelhante ao de limpeza e proteção pode ser criado para distúrbios com origem no plano astral. Comece com um elixir da lua negra, produzido durante a lua minguante. Adicione nove grãos de sal marinho, alguns ramos de alecrim seco, uma gota de óleo de cedro e três gotas de óleo essencial de cedro (ou um grão de resina de olíbano). Transfira a mistura para um borrifador e use onde for necessário ou coloque uma gota sobre uma pedra e coloque a pedra num local específico onde você sinta um distúrbio ou suspeite que haja uma entidade indesejada. Uma drusa de quartzo é a melhor escolha, pois o líquido pode escorrer pelas fendas e não vai derramar. Uma vez que essa mistura contém ervas e não é coada, não demore para usá-la ou descarte-a depois de algum tempo.

Cântico:

Que esta pedra bem preparada
Afaste essa energia indesejada.
Sem causar mal a nenhuma entidade,
Que seja feita a minha vontade.

Elixir para abençoar a casa

Produza este elixir durante a lua crescente. Providencie duas xícaras de elixir ou essência de quartzo. Se você não deixou a pedra no recipiente, coloque uma agora. Adicione seis grãos de sal marinho e deixe a mistura sob a luz do sol durante duas horas. Adicione uma colher de chá de suco de limão fresco. Transfira a mistura para um borrifador. Use esse elixir para borrifar todos os cômodos de uma nova residência ou para renovar a atmosfera, quando necessário. Enquanto borrifa os ambientes, imagine que está fazendo uma limpeza espiritual e abençoando a sua casa. Repita essa limpeza todos os anos ou a cada trimestre.

Cântico:

Que esta casa seja abençoada
Assim como todos que aqui entrem.
Não há mal, com esse encanto,
Que perdure aqui por muito tempo.

Elixir calmante

Misture um elixir de cristais para uso geral com um elixir de ametista, ambos produzidos recentemente. Banhe-se nessa misture ou aplique sobre a pele ou molhe um pano e passe-o sobre a testa. Visualize a cor refrescante e calmante da ametista. Veja a energia desse cristal acalmando a sua mente. Se quiser, armazene a mistura na geladeira para que ela transmita uma sensação de frescor ainda maior.

Entoe estas palavras enquanto estiver borrifando a essência, como um mantra:

Que a minha morada seja abençoada.

Elixir para a paixão

Este elixir pode ser usado para reavivar a paixão num relacionamento. Durante a fase da lua crescente, produza um elixir com cornalina deixando-o sob a luz solar por seis horas. Visualize a mistura sendo infundida com qualquer tipo de energia que você deseja para a sua situação específica. Use essa água num banho ou para untar seu corpo, especialmente o chakra sacral. Ou, para uma experiência mais intensa, você pode adicionar óleo de massagem ao elixir e massagear o seu parceiro. Você também pode produzir um elixir solar "seco" com a cornalina e bebê-lo. Também pode adicionar algumas gotas aos seus drinques!

Entoe estas palavras enquanto prepara a mistura e antes de usá-la:

Caro cristal, que brilha e reluz
Acenda em nós uma grande paixão.
Poder do sol, poder da luz
Pelo bem maior, ative esta poção.

Banho tonificante da lua cheia

Primeiro, crie um elixir básico usando uma pedra-da-lua. Se quiser, você pode adicionar algumas gotas de orvalho da manhã, colhido na época do festival de Beltane, na primavera ou no meio do verão. À medida que derrama esse elixir na água do banho, visualize o brilho da lua cheia infundindo a água com sua energia.

Cântico:

Luar líquido traga para mim
Muita beleza e tranquilidade.
Água bendita, acaricie minha pele
Dando a ela maciez e tonicidade.

Elixir para a beleza

Faça um elixir usando uma pedra de jaspe e carregue-a usando um método da sua escolha. Existem muitos tipos de jaspe, então selecione a variedade que mais o atrai. O jaspe é uma forma de calcedônia (quartzo), geralmente opaca e encontrada em quase todas as cores, algumas com manchas e padrões decorativos. Adicione uma pequena quantidade desse elixir à água quando lavar o rosto e visualize-se jovem e com a pele tonificada, irradiando beleza em qualquer idade. Repita este cântico enquanto lava o rosto:

Que os anos sejam gentis, que o tempo seja suave,
Mantenha a minha beleza sem idade.
Leve o que me preocupa e deixe no lugar só tranquilidade.

Elixir de quartzo transparente (para beber)

1. Escolha um quartzo transparente (uma ponta ou uma pedra rolada) e certifique-se de que ele esteja limpo. Para limpá-lo, você pode colocar o quartzo em água fervente por um breve período, tirando-o da água com uma pinça e deixando-o esfriar. Você também pode lavar a pedra com um detergente suave, enquanto lava a louça, e enxaguá-la bem.
2. Você pode carregar o cristal para qualquer propósito. O quartzo transparente é uma pedra de equilíbrio, com uma boa energia de uso geral. Você pode utilizá-lo para qualquer propósito mágico, programando a pedra com a sua intenção.

3. Use água potável, mineral ou de torneira. Você pode produzir qualquer quantidade, desde um copo até um jarro. Coloque a pedra na água.
4. Você pode colocar o recipiente sob a luz solar ou ao luar, se quiser. Deixe o cristal na água por até doze horas. Depois disso, você pode remover a pedra ou mantê-la no jarro ou no vidro. Apenas tenha cuidado para não engolir!
5. Use este elixir imediatamente ou mantenha-o refrigerado por até três dias.

Elixires de água salgada

O sal é um dos minerais mais populares que usamos em nossa vida diária. Do ponto de vista mágico, o sal é, por tradição, usado para limpeza, purificação e proteção. O sal marinho é a água do mar evaporada e é o sal preferido para se usar em magia. Dependendo da pedra que você está usando, adicione o sal antes ou depois de fazer o elixir. Obviamente, o sal se dissolverá melhor se você adicioná-lo antes de deixar a água descansando por várias horas; mas isso depende de você. Esse tipo de elixir é uma boa escolha para consagrar um espaço sagrado ou seus instrumentos mágicos, mas tenha cuidado: muito sal pode ser prejudicial em algumas superfícies. Basta usar uma pitada.

Usos adicionais de elixires e essências:

- adicionar ao banho para purificação, cura ou qualquer banho ritual. Você pode até mesmo lavar o cabelo com ele;
- lave o rosto ou massageie partes do seu corpo;
- limpe pedras, consagre ferramentas mágicas ou unte objetos;
- deixe uma vela flutuando neles;
- adicione-o a uma fonte decorativa;
- use-o para regar plantas ou usar como oferenda na magia de jardim.

Cinco

Magias com areia e vidro

Areia mágica

A areia é, basicamente, rocha movediça, uma coleção de minúsculos minerais triturados e outras substâncias orgânicas. De acordo com a Sociedade Internacional dos Colecionadores de Areia: "As pedras são matéria primordial. A areia é matéria triturada pela infinitude do tempo. Ela nos torna conscientes da eternidade. A areia é matéria que foi transformada e quase se tornou líquida e espiritual". Sim, existem colecionadores de areia, um testemunho das fascinantes qualidades da areia. Triturada pelo tempo, a areia é antiga e pode ser um poderoso ingrediente mágico.

Olhe atentamente para a areia, examine-a com uma lupa. Ela é feita de pedacinhos de pedra e minerais. Como a terra, a areia está associada com o elemento Terra. A magia com pedras e cristais inclui a areia, porque ela é composta por essas pequenas partículas. Você pode combinar areia e pedras ou simplesmente usar só areia num encantamento.

É divertido brincar com a areia. Que criança, ou mesmo adulto, resiste a brincar com a areia na praia ou numa caixa de areia? Gostamos de senti-la sob os pés e nas mãos. Podemos moldá-la, modelá-la e, depois, fazê-la desmoronar e começar tudo de novo. Seus grãos finos são suaves e relaxantes ao toque.

Claro, a areia já foi usada em muitos tipos de arte, ela é um meio criativo com o qual podemos nos expressar. Areias coloridas podem ser dispostas em camadas em recipientes ou usadas para criar imagens como as detalhadas mandalas dos budistas tibetanos, que são ritualmente destruídas depois de meticulosamente criadas. Os jardins zen (jardins de pedra japoneses) usam linhas na areia para representar ondulações na água, cercadas por um arranjo artístico de plantas e pedras. Belíssimos castelos de areia e outras esculturas já foram feitas nas praias apenas para serem levados pelas ondas — como é a natureza temporária da areia, lembrando-nos de que nada dura para sempre.

Se considerarmos muitos usos práticos da areia — ela é um ingrediente do concreto, da argamassa usada em construções, do vidro e dos chips de computador —, sabemos que ela é apenas mais uma evidência de que as pedras são uma parte vital da nossa vida. No entanto, na magia, a areia é muitas vezes negligenciada ou considerada simplesmente um material secundário usado num prato onde se queima incenso ou velas. E, embora ela seja uma excelente escolha para candelabros e queimadores de incenso, procure se lembrar de que ela pode ter um significado mágico.

Você pode comprar areia em lojas de jardinagem ou outros estabelecimentos de decoração ou construção (na praia, a areia pode estar poluída, então tenha cuidado!). Pode ser mais seguro ainda comprar areia decorativa. Ela não apenas é encontrada em muitas cores, como geralmente é vendida em grãos mais finos ou mais grossos. Se você está apenas começando a trabalhar com areia, recomendo que comece comprando um saquinho de areia de cor branca ou natural, bem como a variedade preta. Assim você estará preparado para qualquer tipo de magia. A menos que esteja fazendo magia de banimento ou de amarração, normalmente uso areia natural ou branca. Compre um saco de grãos finos e um saco de grãos grossos, para que você possa experimentar os dois tipos.

Quando for a hora de descartar a areia que usou num encantamento, evite despejar grandes quantidades em seu quintal (a menos que possa usá-la num projeto de paisagismo). A areia é um material fácil de reciclar. Você pode usá-la num prato para apagar fósforos ou varetas de incenso. Lembre-se, também, de que, quando dispõe a areia em camadas, não pode "desfazer as camadas"; então, se tirá-la do recipiente, as camadas vão se misturar. Reiterando, encontre uma maneira de reciclar a areia se não quiser mais usá-la para fazer magia. Eu tenho vários recipientes reservados apenas para a areia "usada", e a reaproveito principalmente para apoiar velas e incensos não usados em magia. Também tenho um recipiente que uso como cinzeiro para os hóspedes que fumam.

Como a areia pode fazer sujeira, trabalhe com ela fora de casa ou cubra as superfícies com jornal. Se derramar um pouco, basta aspirar. Exceto ao lavar as mãos, não descarte a areia nos canos de esgoto da sua casa. Para armazená-la, use frascos de vidro com tampas de rosca ou sacos plásticos com fechos. Se usar sacos, certifique-se de que estão bem fechados, pois é horrível ter que limpar um rastro de areia derramado por um saco rasgado!

Outros usos mágicos da areia

Geralmente, não recomendo usar areia na magia para a fertilidade ou para a abundância, pois pouca coisa cresce na areia. Embora esteja associada com o elemento Terra e seja um bom aditivo para alguns solos (dependendo do teor mineral da areia), ela não é particularmente fértil. É melhor usá-la para enterrar, banir, proteger, em encantamentos que envolvem o conceito de impermanência ou na magia meditativa, em que você precisa criar algo com areia ou desenhar nela.

Em primeiro lugar, a areia é excelente para se usar como leito em grades de pedra (ver Capítulo Dez). Você pode usar areia úmida nas grades, especialmente se estiver ventando muito. Além disso, é mais fácil desenhar linhas e formas na areia úmida. Outro método de desenho na areia requer uma bandeja de areia seca do lado de fora da casa, onde você desenhará um símbolo para assoprá-lo depois. Ou você pode seguir a tradição budista tibetana e destruir ritualmente o que criou na areia. Cerimônias desse tipo reconhecem a impermanência das coisas e podem ser usadas para amenizar o luto ou reafirmar a vida.

Para criar objetos, use um pouco de água para amolecer a areia, como se você fosse construir um castelo de areia. Depois, modele a areia com cortadores de bolachas para criar formas que possam ser usadas no seu encantamento, como corações ou estrelas. Em seguida, remova o modelo, o que pode ser um pouquinho complicado. Você precisará praticar para encontrar a quantidade ideal de água, de modo que sua areia não fique nem muito molhada nem muito seca. Leve a sua escultura para fora e deixe que a natureza a desgaste, seja pela chuva ou pelo vento. Você também pode destruí-la num ato de banimento. Uma alternativa é usar os cortadores de bolachas para fazer impressões num leito de areia úmida. Quando a areia secar, coloque-a num recipiente para armazenamento. Você pode ter que desmanchar a areia moldada com as mãos ou peneirá-la.

Divirta-se e seja criativo! Você já deve conhecer a arte feita com areia, como as garrafinhas decorativas com areia colorida disposta em camadas. Os artistas também sabem quanto pode ficar bonita uma peça que combine areia, pedras, conchas e contas de vidro ou vidro marinho. Você pode criar obras de arte mágicas ou simplesmente continuar usando a areia como base para velas ou incensos, sabendo que isso pode aumentar o significado mágico do seu trabalho. Experimente diferentes grãos e quantidades variáveis de água. Se tem filhos, leve-os para a praia e faça uma "caça ao tesouro", ou construa uma caixa de areia. Mesmo que você não tenha uma praia nas proximidades ou uma caixa de areia, pode comprar areia, um kit de praia, com uma pá e um baldinho, e brincar com eles!

Outras dicas para o uso da areia na magia

- Crie uma "paisagem subaquática" com velas flutuantes. Use uma cor de areia que corresponda à sua magia específica. Adicione pedras e conchas. Em geral, a areia grossa funciona melhor com a água, pois os grãos são maiores e mais pesados.
- Ao dispor a areia em camadas, você pode colocar a areia grossa sobre a fina, mas os grãos da areia fina simplesmente se infiltrarão entre os da areia grossa. Então, a menos que tenha grãos de areia uniformes, lembre-se de colocar a mais fina no fundo e a grossa no topo.
- Dica de limpeza: para magia com areia seca, despeje o conteúdo numa folha de jornal para que possa tirar as pedras ou outros objetos. Então, dobre a folha como um funil e despeje a areia num recipiente de armazenamento. Para recipientes com água, despeje o conteúdo do recipiente num local onde possa separar as pedras e o vidro, mas a areia possa escoar (um lugar no chão é melhor se você tiver apenas uma pequena quantidade de areia, caso contrário, use um balde ou uma tigela).
- Experimente colocar a areia num recipiente mais fundo. Por exemplo, numa tigela funda, você pode desenhar na superfície da areia usando um objeto de ponta fina, como uma pena ou um lápis. Depois, você pode traçar linhas mais grossas que revelem o fundo do recipiente. Coloque um espelho debaixo da areia para que sua superfície reflexiva seja revelada quando você desenhar suas formas, ou use pratos ou bandejas coloridas. Utilize funis próprios para arte com areia ou uma folha de papel dobrada para criar linhas finas.
- Você pode comprar algumas ferramentas especiais para usar apenas na arte com areia, como cortadores de bolachas, tigelas e pratos. Lave-as fora de casa, com uma mangueira de jardim, se possível. Se não for possível, escove antes para tirar a areia seca antes de lavá-las na pia ou na máquina de lavar louça.

Como limpar e carregar a areia

Para limpar a areia, basta colocá-la num prato e cobri-la com bastante água, de modo que ela assente no fundo do prato. Deixe-a sob a luz do sol por um dia, então descarte a água. Para concluir o processo e carregá-la, espalhe a areia úmida numa bandeja (você pode usar uma folha de papel-manteiga ou mesmo um prato grande) e deixe-a secar ao sol por mais um dia ou até ficar completamente seca. Esse método irá eliminar toda a energia anterior e você poderá dedicar a areia estritamente ao uso mágico. Para carregar a areia seca, coloque seus recipientes de areia sob a luz do sol ou ao luar. Se comprar areia nova numa loja de artesanato, não precisará usar esse método de limpeza da primeira vez que usá-la; porém, dependendo de como irá usá-la, talvez precise limpá-la antes de usá-la novamente. Se quiser usar essa areia para o mesmo propósito, várias vezes, você não precisará repetir o método de limpá-la e carregá-la, assim como no caso do processo de dedicação. Por exemplo, reserve um frasco de areia preta para usar apenas na magia de banimento e de amarração.

Cântico para limpar a areia:

Sol e água, limpem esta areia.
Livre-a de toda energia alheia.

Cântico para carregar a areia:

Sol/Lua e Ar, carreguem esta areia
Com a meta que me norteia.

Tigela ofertória com areia e pedras

Use esta técnica para criar um lugar especial para queimar velas ou incensos como oferendas. Providencie um prato de vidro transparente e adicione areia ou camadas de areia. Coloque uma ponta de quartzo transparente na areia, juntamente com uma vela ou uma vareta de incenso para queimar como oferenda. Você pode usar uma vela de *réchaud* ou votiva em um copo de vidro, ou simplesmente colocar uma vela votiva na areia. Cera de vela depois de fria pode ser removida facilmente da areia.

Variação:

Providencie areia grossa e despeje água sobre ela. Coloque na água uma vela flutuante. Eis aqui um cântico geral para uma oferenda:

Esta oferenda é
Um agradecimento sincero.
Pelo que recebi e considero.
Peço que aceite este presente,
Do seu agrado, espero.

Magia de banimento ou de amarração com areia

Você pode usar esse encantamento para banir, amarrar ou ambos. Lembre-se de que banir é remover algo que afeta você negativamente e amarrar, neste caso, é mais como refrear uma pessoa que está fazendo mal a você. Execute esta magia durante a lua minguante.

Pedras:

Escolha uma das seguintes pedras: obsidiana ou outro tipo de vidro vulcânico ou pedra de lava, ônix preto ou chumbo (galena).

Outros itens:

- Um recipiente ou frasco de vidro, grande o suficiente para conter uma vela.
- Areia suficiente para quase preencher o recipiente ou frasco. Para esta magia, use areia negra se conseguir encontrá-la; do contrário, use areia natural ou branca.
- Uma vela preta votiva ou de *réchaud*.

Polvilhe uma fina camada de areia no fundo do recipiente. A pedra irá representar aquilo que deve ser amarrado ou banido (ou ambos). Coloque a pedra na areia. Então, lentamente, deixe a areia cair da ponta dos dedos (ou use um funil) sobre a pedra, até cobri-la.

Repita este cântico enquanto visualiza o resultado pretendido:

Do que me causa aflição
Quero absolvição.
Pelo bem maior que seja impedido
Pelo bem maior que seja banido
O alvo agora do meu pedido.

Quando a pedra estiver coberta de areia, coloque uma vela preta sobre a areia e acenda-a.

Cântico:

Como areia e pedra, fiz este feitiço,
Fogo e Ar, ouçam o que eu suplico.
Pelo bem maior,
Que eu seja atendido.

Deixe a vela queimar até o fim. Em seguida, descarte a cera e limpe a pedra. Você pode reutilizar a areia, mas convém usá-la só em magias de banimento ou amarração.

Magia com areia para o esquecimento

Às vezes, quando um relacionamento está terminando, queremos simbolicamente "apagá-lo" da nossa vida. Para esse encantamento, faça um "coração partido" na areia úmida (você pode fazer uma escultura de coração e desenhar uma flecha no centro, ou desenhar tudo na areia úmida). Seja qual for o método que você escolher, o objetivo é criar o símbolo, depois destruí-lo, enquanto visualiza a dor associada ao relacionamento sendo levada. A areia representa a impermanência — nada dura para sempre. Sua dor vai se curar com o tempo. Depois de destruir o coração partido, usando as mãos ou desfazendo-o com água, você pode criar uma nova escultura de um coração inteiro, se desejar.

Faça com capricho o seu símbolo do coração partido. Afinal, você investiu tempo no relacionamento. Visualize-se livre e curado quando começar a destruir o seu símbolo.

Cântico:

Como o vento e a água na areia,
A mudança, o tempo desencadeia.
Dor e lágrimas esta magia levará
Curando meu coração a partir de já.

Opcional: crie um novo coração inteiro na areia e o deixe intacto pelo tempo que desejar.

Garrafa de areia para proteção

Para esta magia, use toda a sua criatividade com o recipiente e a areia. Encontre uma garrafa bonita e utilize um funil para derramar dentro dela areia de diferentes cores, formando camadas. Use qualquer combinação de cores que quiser ou simplesmente limite-se à natural ou à branca, se for o que você tiver disponível. Areia vermelha, branca e preta é uma boa combinação também. Você pode usar essa garrafa como uma peça decorativa ou pode mantê-la longe dos olhos das outras pessoas.

Em algum lugar da garrafa, coloque nove grãos de sal marinho e uma ponta de quartzo transparente. Você pode colocá-los na parte inferior da garrafa ou entre as camadas.

Cântico:

Com esta garrafa eu faço
Magia de proteção.
Tudo dentro e ao redor

Ficará em seu raio de ação.
Sem prejudicar ninguém.
Realize o desejo do meu coração.

Magia da areia sagrada

Uma vez, tive a sorte de testemunhar monges budistas tibetanos fazendo e destruindo uma mandala de areia. Demorou quase uma semana para que ela ficasse pronta e, então, foi solenemente desmantelada numa cerimônia. Você pode criar o seu próprio ritual para honrar a magia e o mistério da vida. Quando os monges destruíram a mandala, eles guardaram um pouco da areia. A maior parte foi despejada num lago, mas um pouco foi entregue àqueles de nós que participaram da cerimônia. Essa lembrança sagrada é um lembrete de que a vida é preciosa.

Esse encantamento não requer nenhuma habilidade artística; não vou pedir que você crie uma mandala artística de areia! Mas você pode criar um trabalho artístico com areia e depois destruí-lo. Pode personalizar essa magia com base no seu nível de habilidade, mas esta versão básica é bastante simples, pois é a intenção o que mais importa.

Ingredientes:

- Duas cores de areia: uma branca (ou natural) e uma preta (com grãos do mesmo tamanho).
- Um frasco ou garrafa de vidro transparente, de qualquer tamanho. Comece este projeto na lua cheia. Encha o recipiente alternando a areia escura e a clara, fazendo tantas camadas de areia quanto for possível (dependendo do tamanho do recipiente). Você pode usar um pequeno copo votivo ou um frasco de vidro grande. Pense nisso como o simbolismo do yin e yang — o equilíbrio universal. Enquanto adiciona cada camada de areia, entoe:

Equilíbrio da vida, escuro e claro
Para ver a luz, à sombra eu comparo.

Quando o recipiente estiver cheio, você pode concluí-lo com uma ponta de quartzo transparente na parte de cima ou selar o frasco com uma tampa, ou ambos. Se possível, deixe o frasco sob a luz da lua na primeira noite. No dia seguinte, deixe que ele receba alguns raios solares para que possa ser carregado dessa maneira. Em seguida, coloque o recipiente num local onde você possa vê-lo todos os dias até a lua nova. Entoe estas palavras sobre o recipiente depois de colocá-lo no lugar:

Pedras maciças se tornam areia,
Pequenos grãos constroem o mundo.
O significado das coisas simples
Dão à magia um sentido profundo!

Na noite de lua nova, repita o cântico acima e despeje a areia sobre um prato. Misture-a no sentido anti-horário.

Cântico:

No fim comece novamente
Revolva, misture, agite.
A árvore volta a ser semente.
Mostrando que o fim não existe.

Depois que a areia estiver bem misturada, separe um pouco para guardar. Você pode adicionar uma pitada desta areia sagrada em outros encantamentos ou simplesmente deixá-la à mostra como peça decorativa. Descarte o resto num corpo de água.

Variação:

Se você tiver uma areia grossa e outra fina, só pode fazer duas camadas: a primeira com a fina e depois com a grossa. Você pode até fazer isso em pequena escala, usando um copinho de vidro para vela de *réchaud* e fazendo uma camada de cada cor.

Magia com vidro

Embora o vidro possa parecer um artigo comum nos dias de hoje, já foi um dia um produto ao alcance apenas das pessoas mais abastadas. A fabricação do vidro tornou-se algo comum, embora ainda apreciemos a sua beleza, especialmente nas obras de arte feitas à mão. Não podemos nos esquecer de como os itens artesanais podem ser especiais. Tenho várias peças de joalheria de vidro de Murano que comprei numa viagem à Itália, e mesmo que não sejam de vidro "natural", essas peças parecem mágicas para mim. Lembre-se: o vidro vem da areia e a areia é composta de minerais triturados. Embora o vidro possa ser algo feito pelo homem, ainda é uma substância natural e terrena. Diferentes tipos de vidro são feitos hoje adicionando-se vários minerais para melhorar sua aparência.

Mesmo que o vidro moderno seja feito por mãos humanas, a natureza também faz vidro. Os espécimes chamados "fulguritos" são criados quando um raio atinge a areia (ou uma combinação de areia, terra e pedra) e faz com que ela derreta, criando uma espécie de varinha de vidro feita de minerais fundidos. Se você tiver a sorte de ter uma dessas, guarde como um tesouro. Use-a para praticar a magia com vidro se quiser, mas tenha cuidado: elas são frágeis.

A obsidiana e o *tachylite* (não tão comum) são tipos de vidro vulcânico que ocorrem quando o magma esfria em contato com a água. Uma formação chamada "Cabelo de Pele" é uma forma de *tachylite* semelhante a um fio.

O cristal de chumbo é criado pela adição de óxido de chumbo à mistura, na fabricação do vidro. Esse processo originou-se na Inglaterra no século XVII. O cristal Waterford, fabricado na Irlanda, é uma das melhores formas, mas o acessível cristal de chumbo é facilmente obtido.

Lembre-se de que os termos cristais "de chumbo" ou cristal "austríaco" são usados para descrever tipos de vidro e não possuem estrutura cristalina. Contudo, essas substâncias sintéticas ainda têm seu lugar na magia. Elas são feitas de materiais naturais e são excelentes opções para recipientes. Os prismas de cristal de chumbo são fáceis de encontrar e você pode pendurá-los em áreas ensolaradas para captar a luz do sol e irradiar vários arco-íris ao redor de uma sala.

Você provavelmente já usa o vidro na magia o tempo todo: candelabros são o melhor exemplo. Eles são acessíveis, atraentes e estão disponíveis em todas as cores. Nós temos pratos de vidro em casa, contas de vidro em nossas joias, e não se esqueça dos espelhos! O vidro está em toda parte, por isso é fácil esquecer seu significado mágico. Carregue seus castiçais de vidro e espelhos como você faria com uma pedra ou um cristal, e continue a usá-los apenas para propósitos mágicos. Dedique recipientes específicos a velas dos quadrantes e use frascos e pratos específicos para a prática da magia.

Vidro marinho

Embora "vidro marinho" fosse originalmente um termo usado para designar cacos de vidro desgastados pelas ondas do mar, agora ele é fabricado principalmente para propósitos decorativos. Se você tem algum vidro marinho de verdade, considere-se um afortunado. Se não tem, não hesite em comprar um — eles são adoráveis e podem ser usados na magia com vidro.

O vidro marinho pode ser combinado com areia e pedras para criar recipientes decorativos que também podem ser carregados para uso mágico. Selecione as cores que correspondam às suas necessidades: o vidro marinho é muitas vezes vendido em saquinhos com pedras de cores variadas.

Magia de amor com vidro marinho

Use este encantamento para atrair amor para a sua vida. Realize-o numa sexta-feira durante a lua crescente ou cheia.

Itens necessários:
- Uma tigela ou prato de vidro.
- Um punhado de vidro marinho de qualquer cor ou cores variadas (procure incluir alguns verdes, se possível).

Primeiro, limpe o prato e o vidro marinho assim como você faria com uma pedra, eliminando das peças a energia anterior. Coloque o vidro marinho no prato e adicione água suficiente para cobrir as pedrinhas de vidro. Use água do mar se você tiver acesso a ela ou tente encontrar outra fonte de água limpa, coletada de uma nascente, lago ou rio.

Depois de adicionar a água, feche os olhos e imagine-se sentindo amor por uma pessoa. Evite pensar numa pessoa específica, só se concentre na sensação de amar e ser amado. Imagine que esse amor está numa ilha distante, separada de você pelo mar. Então, sinta o amor se aproximando de você como um pedacinho de vidro marinho trazido pelas ondas. Veja-se caminhando na praia, esperando, sabendo que esse amor vai encontrá-lo em breve. Imponha as palmas das mãos sobre a tigela de vidro com água e entoe as seguintes palavras:

O amor pode estar perto ou distante
Para a magia isso não importa.
Quando a água secar deste prato,
O amor baterá na minha porta.

Coloque a tigela no seu altar ou no peitoril da janela até que a água evapore. Comece a procurar sinais de que sua magia está se manifestando.

Coletor de raios solares com cristal austríaco

O objetivo desta magia é criar um coletor de raios solares decorativo, destinado a promover a felicidade e uma atitude positiva. Os cristais austríacos são facetados para brilhar à luz do sol. Escolha qualquer forma que preferir: uma estrela, um coração, um floco de neve, uma pirâmide, você provavelmente encontrará dezenas. Essas peças costumam vir com um buraco na parte superior para que possam ser pendurados ou usados como joias.

Você pode usar um dos três métodos a seguir:

1. A maneira mais simples de utilizar o cristal como coletor de raios solares é passar um pedaço de fio de náilon através dele, amarrar as extremidades do fio e pendurá-lo numa janela. Isso é de fato tudo que você precisa fazer. Mas, como pode ser difícil adicionar pedras ao fio ou fita (dependendo do tamanho), você pode usar o cristal.
2. Se quiser, você pode adicionar contas, e o jeito mais fácil de se fazer isso é usar um fio de contas. Mas, se você optar por esse método, não poderá apenas amarrar o fio com um nó no final, vai precisará usar uma peça de bijuteria para evitar que as contas se soltem. Ainda assim, este é um dos primeiros passos quando se aprende a fazer bijuterias e é uma técnica muito fácil. Você só precisa comprar um alicate para artesanato e algumas pecinhas para segurar as contas no fio. Visite uma loja de artesanato e com certeza o vendedor ficará feliz em ajudá-lo. Você também pode comprar um livro ou procurar um site na internet que explique essas técnicas.
3. Se você preferir experimentar técnicas de fabricação de bijuterias ou já tem todas as ferramentas e suprimentos, experimente fazer o Coletor de Raio Solares de Estrela com Cristal e Contas descrito aqui. E é claro que você pode criar seu próprio design.

As técnicas e as sugestões de projeto não devem limitar a sua criatividade. Só quero lhe mostrar três projetos básicos para que você possa usá-los como inspiração a fim de criar a sua própria versão.

Depois de selecionar seu cristal, escolha contas com base na sua necessidade e/ou influência numerológica (ver Capítulo Nove). Você não tem que seguir à risca este projeto, ele é apenas uma sugestão.

Coletor de raios solares de estrela com cristal e contas:
- Um cristal austríaco em forma de estrela bem pequeno.
- Cinco contas de vidro vermelho facetadas.
- Cinco contas redondas de quartzo transparente.
- Um fio de náilon, peças para segurar as contas, kit de alicates para bijuteria.
- Opcional: corrente ou cordão de prata; outros suprimentos para fabricar bijuterias.

Este exemplo é baseado no número cinco: serão usados cinco contas e uma estrela de cinco pontas. Na numerologia, o cinco é o número da vida em si. Outra variação seria usar quatro contas de cores diferentes, que correspondam aos elementos, e deixar que a peça de cristal austríaco represente o Espírito.

Quando fiz um desses coletores, primeiro passei o cristal em forma de estrela por um arame, depois passei o fio de náilon através dele. Adicionei um prendedor de contas de prata para manter a estrela no lugar. Assim, eu tinha um fio duplo por onde passar as outras contas (eu alternava as vermelhas e as transparentes). Depois de adicionar todas as contas, coloquei outra peça de prata para segurá-las no fio, deixando uma voltinha no fio para que eu pudesse colocar essa peça numa corrente.

Adicionei alguns outros toques decorativos. Coloquei um tubinho de prata sobre o segurador de contas para escondê-lo e acrescentei um grande aro de prata no topo para que pudesse pendurar o coletor de raios solares onde quisesse. Posso passar uma corrente de prata através do fio ou usar um cordão ou fita. A estrela de cristal que usei tem de cerca de meio centímetro de largura e, como esse coletor de raios solares é pequeno, pode até ser pendurado no espelho retrovisor do carro.

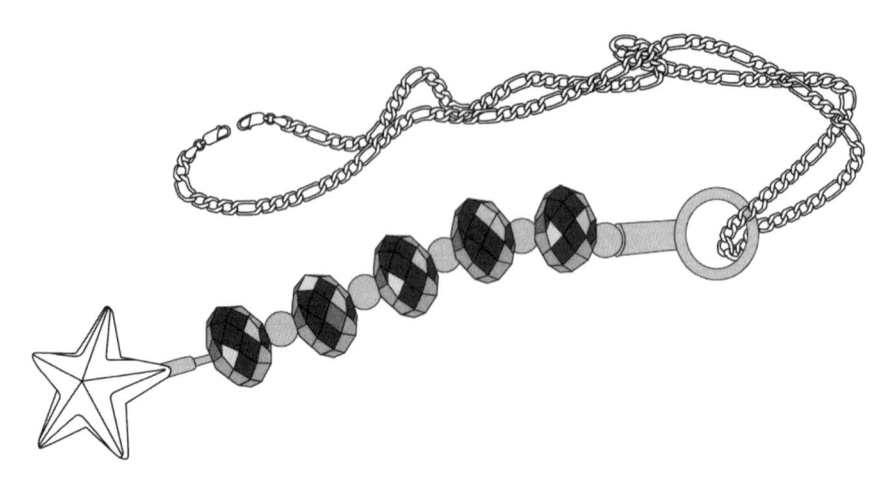

Coletor de Raios Solares de Estrela com Cristal e Contas

Lembre-se, se você não possuir todas as ferramentas e suprimentos para confecção de bijuterias, simplesmente pendure o cristal num fio de náilon ou fita. Carregue seu coletor de raios solares na luz do sol, num domingo, se possível. Veja a seguir um cântico geral para carregá-lo:

Cristal, capte a luz do sol,
Capte o brilho no ar,
Vá comigo a todos os lugares
E faça a minha vida brilhar.
Deixe-me sempre ver a luz,
Seja sempre o meu guia,
Fazendo a esperança brilhar em mim,
E me mostrando o lado positivo da vida.

Visualize o cristal e as contas absorvendo a energia do sol. Depois deixe que ele capte os raios, brilhe e reflita-os, projetando vários arco-íris nas paredes. Imagine a luz solar que está sendo armazenada nessas contas e no cristal lhe trazendo alegria e felicidade quando você olha para ele, mesmo num dia nublado.

Claro, você também pode personalizar seu coletor de raios solares para um objetivo específico. Eles também são brinquedos de gato divertidos — os bichanos adoram perseguir as cores projetadas nas paredes!

Seis

Magia da terra elegante: o poder inesperado das pedras

Introdução

As pedras são um bolo cujos ingredientes são minerais puros. Uma pedra "comum", portanto, pode ser uma poderosa combinação de muitos cristais com incríveis propriedades metafísicas. Pedras aparentemente simples, que você encontra em qualquer lugar, podem se tornar instrumentos mágicos importantes, que evocam emoções e memórias.

Quando você viajar, experimente levar para casa uma pedra como lembrança (mas esteja ciente de que existem certos lugares em que é proibido coletar pedras). Pedras encontradas perto da água, que são lisas e polidas ou têm buracos causados pelo desgaste também podem ser especialmente significativas como símbolos do poder dos elementos naturais. Elas também podem ser usadas para representar os lugares onde foram encontradas, como oceanos, lagos ou rios. Eu tenho várias pedras que coletei em viagens de férias — desde acampamentos nos arredores da minha cidade até viagens de barco em praias da Califórnia, do México e da Jamaica —, até mesmo uma pedra maravilhosa que encontrei na Grécia. Cada uma delas é uma lembrança. Uma pedra muito especial da minha coleção é a que encontrei na floresta perto da casa da minha infância. É só um pedaço de granito, mas contém farpas brilhantes de granada e pirita. É um tesouro que não só traz lembranças especiais da minha casa, mas pode ser usada pelas propriedades metafísicas dos minerais que a compõem.

Os fósseis também podem se tornar peças inestimáveis da sua coleção; você pode procurá-los por conta própria ou comprá-los. Não precisa saber exatamente o que é ou qual a idade do fóssil (a menos que queira pesquisar). Saber que se trata de um remanescente vivo de milhões de anos atrás já é maravilhoso. Para usá-lo em magia, você pode considerar o conteúdo mineral do fóssil se quiser, mas prefiro não levar isso em consideração e dar mais importância ao tipo de fóssil que tem em mãos: planta ou animal. Descubra tanto quanto puder sobre isso. Faça algumas pesquisas por conta própria e você vai conseguir determinar o que é.

Algumas lendas dizem que seres sobrenaturais residem nas rochas. Em partes da Índia, pequenos montes de pedras são erguidos para representar deusas que protegem as aldeias. Os antigos gregos deixavam pilhas de pedras ao lado das estradas em homenagem a Hermes, deus da viagem e da comunicação, protetor das viagens. Em Delfos, na Grécia, dizia-se que uma pedra (os ônfalos) marcava o centro do mundo. Alguns mistérios antigos falam das pedras como os ossos pulverizados de Saturno, que formaram o espírito dos seres humanos. As pedras são consideradas os ossos da grande mãe, Gaea, e os mitos escandinavos dizem que pedras e penhascos são os ossos de Ymir. As pedras são, portanto, valorizadas desde os primórdios da raça humana.

E, claro, o uso de pedras para fins espirituais e místicos é conhecido em todo o mundo, em lugares como Stonehenge, Carnac e vários dólmens e outras estruturas que costumavam designar lugares sagrados ou marcar o tempo, como um calendário. Contas de pedras sagradas são comuns em quase todo caminho espiritual.

Círculos de pedra para a cura

Muitas culturas usavam círculos de pedra e outros tipos de arranjos de pedras para vários propósitos espirituais. Não tentarei criar uma versão das rodas medicinais das tradições indígenas norte-americanas, mas, se você tem experiência com isso, pode incorporá-las à sua prática mágica com cristais. Caso contrário, é fácil criar sua própria tradição de círculos de pedra para a cura. Eis aqui uma ideia para você começar.

Escolha uma foto ou símbolo para representar alguém que precise receber energia de cura. (Há um encantamento de autocura mais adiante neste capítulo.) Em seguida, construa um círculo de pedra ao redor do símbolo, visualizando as pedras como uma parede, um refúgio seguro.

Cântico:

Pedras de cura, de forma circular,
Vincule o cosmos a este lugar.
Ofereçam a ele seu fortalecimento,
Ouçam enquanto lanço este encantamento.

Indique seu propósito específico.

Variações:

- Ao selecionar as pedras para o círculo, o granito pode ser uma boa escolha. Você também pode incorporar a pedra de poder pessoal de quem precisa da cura, se você souber qual é. Nesse caso, essa pedra pode ser deixada no centro do círculo, para representar a pessoa necessitada ou apenas ser uma das pedras no círculo, ou ambas as coisas (no Capítulo Oito há mais informações sobre pedras de poder pessoais). Prefiro colocar a pedra de poder pessoal do indivíduo sobre a foto. Além disso, você pode selecionar pedras específicas do Apêndice que tenham as qualidades que deseja evocar no seu encantamento.

- Para criar uma pedra simbólica ou mágica significativa para carregar com você, pinte ou desenhe um símbolo ou uma runa na pedra e carregue-a dentro de um círculo de pedra. Então, leve-a com você aonde for.

Quatro quadrantes

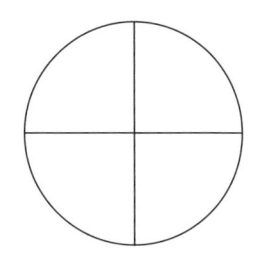

Este é um símbolo bastante comum, especialmente em muitas tradições indígenas norte-americanas. Ele representa as quatro direções e é às vezes usado para representar uma encruzilhada ou a Terra. Assim como usamos o pentagrama para representar os quatro elementos e o espírito, este símbolo pode ser usado para representar o mundo. Utilize-o ao lançar um círculo, criando-o sobre o altar e evocando os quadrantes. Você pode colocar as pedras no próprio altar ou desenhar uma cruz num prato com areia e colocar uma pedra em cada direção.

Volte-se para cada direção e entoe o cântico a seguir, enquanto coloca cada pedra numa direção:

Saúdo o Leste, onde o sol se levanta,
A força do ar, o sopro que encanta.

Saúdo o Sul, intenso e brilhante,
A força do fogo, brilho cativante.

Saúdo o Oeste, a chuva e o mar,
O poder das águas, para me confortar.

Saúdo o Norte, a árvore e a rocha,
O peso da Terra, que desabrocha.

Construa essa imagem com várias pedras do tamanho que desejar.

Este círculo também pode ser utilizado para representar as quatro estações, usando as pedras correspondentes da sua escolha. Além disso, você pode adicionar uma pedra ao centro para representar o Espírito ou a Mãe Terra — um geodo seria uma excelente escolha. Você pode construir esse círculo usando pedras que encontrar na sua região, acrescentando a ela o significado que ele tem nesse lugar. Esse círculo seria apropriado para qualquer celebração sazonal e poderia ser construído com facilidade por um grupo durante um ritual.

Magia para a unidade e a totalidade

Este encantamento é em parte baseado na ideia de Enquadrar o Círculo (veja o Capítulo Dez). Em *O Homem e seus Símbolos*, Carl Jung se refere ao conceito de enquadrar o círculo como "um dos muitos motivos arquetípicos que formam os padrões básicos dos nossos sonhos e fantasias... Na verdade, poderia ser chamado de arquétipo da totalidade".

Para esse ritual, crie a figura do diagrama a seguir usando qualquer coleção de pedras. Imagine que o grande círculo externo é o cosmos e o círculo central é a lua. O quadrado representa sua perspectiva terrena — você está unido com o cosmos. Isso representa uma unidade entre espírito e matéria, terra e lua.

No centro, coloque um objeto (indicado pelo ponto preto) que representa você — poderia ser uma pedra (talvez um geodo) ou mesmo uma carta de tarô, uma imagem ou um objeto.

Visualize sua conexão com a terra, com a lua e com o cosmos.

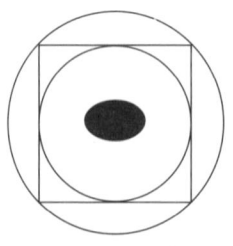

Magia para a unidade e a totalidade

Cântico:

Tudo o que sou e vou me tornar
Está ao meu alcance, é o somar
De tudo que sou e de tudo que fiz.
O que eu desejo, vou me tornar.
Parte do todo e de cada parte
Está em meu corpo, alma e coração.

Com o universo sou uma unidade.
Pela terra e pelo céu, pela lua e pelo sol.

Magia com o arremesso de uma pedra

Este encantamento serve para você definir uma meta por meio do arremesso de uma pedra (sabendo que o objetivo está próximo, ou seja, a uma pequena distância como a do arremesso de uma pedra, e não fora de alcance, mesmo que pareça um sonho distante). Esta magia é eficaz para iniciar algo novo ou para restabelecer um objetivo que você possa ter.

Usando qualquer pedra, lance este encantamento durante a lua nova ou crescente. Encontre um lugar seguro para jogar a pedra, seja em sua propriedade ou numa área em meio à natureza. Use uma pedra pequena, que seja fácil de arremessar. Lembre-se de se certificar de que não existe nada no caminho que a pedra possa atingir ou danificar.

Ao lançar a pedra, visualize a jornada que você tem de empreender para atingir o seu objetivo (ele está tão perto quanto a pedra pode alcançar). Lembre-se, você não está simplesmente jogando a pedra, mas observando a distância a que ela vai, que é mais próxima do que você percebe. Enquanto arremessa a pedra, entoe:

Pedra que atiro, agora me mostre
A meta que me trará sorte.
Não muito longe, sei que ela está
E nunca fora do meu alcance.

Variação: Magia da liberação da pedra

Uma forma alternativa desta magia é lançar uma pedrinha num corpo de água para "liberar" algo em sua vida. Lance o encantamento durante a fase da lua minguante, visualize o que está liberando se perdendo na água e use este cântico:

Pedra que atiro, eu deixo ir
E liberto assim o que estava amarrado.
Viaje pedra, pra longe; agora sei que você
Pertence apenas ao meu passado.

Magia da âncora

Use este encantamento sempre que sentir que está longe de alcançar um objetivo ou sente necessidade de se manter mais focado. Ele é semelhante à ancoragem, mas está mais relacionado a um lugar ou um objetivo específico que você deseja manter. Esta magia serve para aumentar a sua determinação caso você se sinta desmotivado. No entanto, perceba que demora um tempo para você abandonar alguns hábitos. (Você pode usar uma técnica de adivinhação primeiro para ter certeza de que está no caminho certo.)

Use qualquer pedra para representar sua âncora, mas convém escolher uma que seja grande e pesada. Encontre um lugar onde possa deixá-la sem precisar mudá-la de lugar. Ao colocar a pedra, visualize-a como uma âncora indo ao encontro do seu objetivo ou um símbolo da sua vontade e determinação. Ao fixá-la no lugar, entoe:

Cântico:

Firme e fixa, âncora forte,
vencendo o vento que agora sopra.
Confio em ti, apesar das ondas,
Pela solidez que agora mostras.

Magia para realização de um desejo

Para este encantamento, use qualquer tipo de pedra. Encontre um lugar onde possa enterrá-la: no seu quintal ou num vaso de planta. Segure a pedra na sua mão projetiva e visualize seu desejo. Imagine esse desejo sendo inscrito na pedra. Então, imagine a pedra como uma semente e plante-a — o seu desejo será nutrido pelo solo e crescerá. Entoe estas palavras enquanto enterra a pedra:

Como uma semente, meu desejo crescerá,
Pelo bem de tudo que eu conheço.
Isso eu preciso e sei que eu mereço,
Como símbolo esta rocha servirá.

Magia de cura com uma pedra

A magia da Terra geralmente envolve cura e nutrição. Use esta magia quando precisar de energia de cura. Para isso use qualquer combinação de fósseis e/ou pedaços de madeira petrificada. Coloque as pedras num frasco de vidro cheio de terra (você pode usar a terra de um vaso se desejar e usar um frasco do tamanho que quiser). Coloque as pedras no frasco de modo que possa vê-las através do vidro. Saiba que os fósseis revelam evidências da vida na Terra antigamente, e a madeira petrificada (que é, na verdade, "fossilizada") foi um dia um organismo vivo também; portanto, trata-se de uma árvore antiga. Se você não possui nenhum fóssil ou madeira petrificada, use âmbar ou azeviche, que são pedras "orgânicas".

Visualize a energia antiga das pedras e o que elas passaram para se transformar no que são hoje. Veja essa sabedoria atemporal trazendo-lhe cura e conforto, enquanto entoa:

Cântico:

Vida de antigamente,
Vestígios de outro tempo,
Segredos que só as eras revelam
Vêm agora para este momento.
Eu evoco a resistência da árvore,
E a cura do meu tormento.

Deixe as pedras no mesmo lugar até sentir os efeitos da sua magia se manifestando.

Variação:

Se preferir, enterre a(s) pedra(s) num vaso de planta em vez de colocá-la(s) num frasco de vidro.

Magia com pedras para uma viagem segura

Para este encantamento, você precisará de uma pequena pedra da sua casa: encontre uma pedra comum no seu quintal, no jardim ou na calçada. Pode ser qualquer pedra, desde que seja encontrada onde você mora ou no chão, perto da sua casa (não pode ser uma que você tenha comprado ou encontrado em outro lugar).

Você vai levar essa pedra com você na sua viagem; ela é uma ligação com a sua casa. Segure a pedra na mão e visualize-a como se ela fizesse parte dos alicerces da sua casa. Imagine uma viagem segura e agradável, e você voltando para casa são e salvo. Entoe este cântico enquanto faz essa visualização:

Pequena pedra, pedacinho do meu lar,
Proteja-me quando de lá eu me afastar.

Leve esta pedra com você durante toda a sua viagem. Quando chegar em casa, devolva a pedra ao lugar onde você a encontrou ou adicione-a à sua coleção de pedras e a use em seus trabalhos de magia da próxima vez que for viajar.

Geodos

Nenhum livro sobre o uso de pedras na magia será completo se não mencionar os geodos, termo que vem do grego e significa "terroso". Os geodos podem ser usados na magia para representar o útero da terra ou para simbolizar a unidade, o "quadro maior" ou a totalidade. Eles podem ser muito pequenos ou impressionantemente grandes (eu tenho um pequeno, com um centímetro e meio de diâmetro e outro maior, com quase trinta centímetros) e não podem faltar na sua coleção.

Muitas vezes, a pedra base é do tipo sedimentar, como o calcário, e o centro é de quartzo ou alguma variedade de calcedônia, como a ágata com bandas. Às vezes o centro é um cristal sólido em vez de uma cavidade oca. Você pode ter visto um desses nas lojas — muitas vezes são cortados pela metade e polidos — e às vezes são vendidos como um conjunto, para serem usados como suportes de livros ou peças decorativas. Embora pareçam desinteressantes do lado de fora, o centro é como uma incrível caverna de cristal.

Os geodos podem levar milhares de anos para se formar, pois são o resultado de uma combinação especial de pressão, água e minerais. Eles começam com uma cavidade de algum tipo, às vezes uma concha ou uma bolha de gás no magma. Uma solução salina fica represada ali dentro, o exterior acaba se dissolvendo ou se fossilizando e a cavidade é preservada. À medida que a água entra e sai, as camadas de depósitos vão se formando e se alinhando na cavidade. Quando essa casca de pedra racha, mais minerais e água infiltram-se, formando cristais na cavidade. Dependendo dos minerais presentes, os cristais podem ser de quartzo transparente, ametista, calcita ou outros. Se os cristais crescem e preenchem toda a cavidade, um nódulo se forma. Se o espaço oco for preservado, torna-se um geodo.

Você pode encontrar um desses, na forma redonda ou ovoide, e quebrá-lo para revelar o tesouro ali dentro. O mais provável, no entanto, é que os compre numa loja. Gosto de encontrar geodos inteiros que se encaixam um no outro. Às vezes, as metades são perfeitamente cortadas e polidas. Mas saiba que os geodos polidos vendidos nas lojas às vezes são tingidos com cores brilhantes.

Magia com geodos para quem tem segredos

Alguma vez você já teve um segredo que sentia que precisava contar? Sussurre-o na cavidade de um geodo e visualize-o sendo absorvido pela pedra. Você pode usar esse método para ter uma espécie de conversa com a terra em que possa buscar a resposta a uma pergunta ou problema ou para falar de um medo ou desejo secreto. Imagine a Terra sustentando-o, nutrindo você e oferecendo cura, se necessário. Depois de contar seu segredo, use este cântico para selá-lo:

Pedra, confio a você o meu segredo,
Para que o guarde para mim.
Responda se puder, senão
Preserve-o até o fim.

Você pode enterrar a pedra se quiser ou mantê-la à vista de todos, dependendo da situação e da sua preferência pessoal. Quando sentir necessidade, limpe a pedra para dissipar o encantamento e visualizar o segredo sendo levado pela água.

SETE

Pontas de quartzo especiais

Introdução

Sempre vou me lembrar da minha primeira ponta de quartzo transparente. Eu tinha em torno de 9 anos de idade e a minha família e eu estávamos fazendo um passeio numa caverna da região onde morávamos, uma das muitas que existem no Missouri (EUA). Ali, na loja de suvenires, encontrei uma pequena ponta com uma terminação dupla. Agora, analisando-a mais atentamente, percebo que essa ponta também tem um ponto, no centro, em que o cristal parece ter entrado em contato com outro; é como se a pedra tivesse se quebrado ali, mas depois se consolidado novamente. Do ponto de vista metafísico, esse é um cristal "que se curou". Depois que aprendi mais sobre esse tipo especial de ponta, tive que analisar todas as pontas da minha coleção, uma a uma, para descobrir as suas características.

Você provavelmente conhece vários tipos de ponta de quartzo especial citados em livros de referência sobre magia com cristais. Aqui vou descrever algumas das maneiras mais conhecidas pelas quais você pode usá-los. Além disso, incluí uma dedicação para cada tipo de ponta. As descrições deste capítulo se referem principalmente a quartzos transparentes; contudo, você pode encontrar pontas de outras cores de quartzo e de outros tipos de minerais. Quando essas formações ocorrem em tipos de quartzo que não são transparentes, elas mantêm as propriedades desse quartzo também. Por exemplo, uma ametista armazenadora pode ter um potencial espiritual mais acentuado que um quartzo transparente, ou talvez ela tenha outras lições a dar relacionadas a vícios ou à ansiedade.

Irregularidades sucedidas durante a formação do cristal criam pedras fascinantes. Você encontrará centenas de termos para explicar essas variações. Alguns descrevem o padrão único de desenvolvimento do cristal; outros foram criados com práticas da Nova Era. Há variações demais para se descrever aqui, então não se apegue muito a essas diferenças. Apenas lembre-se de que essas formações conferem aos cristais uma "personalidade" ou característica específica que podemos usar nas nossas práticas metafísicas. E, naturalmente, há pedras que parecem não se encaixar em nenhuma categoria. Na verdade, é provável que possamos criar uma categoria especial para praticamente todo tipo de formação que existe — tudo desde pontas que parecem ter se fundido naturalmente até aquelas que parecem ter colidido entre si. As combinações de características são quase infinitas. Neste capítulo, vamos analisar com mais atenção algumas das pontas de quartzo mais conhecidas: o cristal de janela, o gerador, o canalizador, a ponta de dupla terminação, a ponta de Ísis, o cristal que se curou, os cristais "arco-íris" e o armazenador. Os encantamentos apresentados podem ser usados para ajudar você a purificar e dedicar os seus cristais. Depois que se familiarizar com esses diferentes aspectos e características, você se sentirá compelido a examinar cada ponta que tem em sua coleção e aquelas que comprará no futuro. Pode até encontrar algumas pedras únicas na sua coleção que nem mesmo sabia que tinha.

Muitos cristais possuem a extremidade lascada, portanto não têm uma ponta perfeita. Mesmo assim, eles podem ser usados na magia. Às vezes é possível encontrar pontas de quartzo irregulares ou imperfeitas por um preço bem acessível; é ótimo ter esses cristais à mão caso queira criar grades (ver Capítulo Dez). A maioria das pontas de cristal não é perfeitamente transparente. Na verdade, inclusões e imperfeições dão origem a algumas pedras muito interessantes.

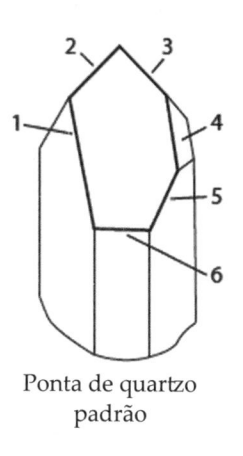

Primeiro, vamos considerar a ponta de cristal padrão. Ela costuma ter seis arestas na base e seis faces na ponta. As faces são quase sempre de formato e tamanho irregulares e geralmente uma face domina, por ser maior que as outras. Às vezes, as outras faces são bem pequenas. Cada "face" da ponta tem arestas de número variado (para saber quantas arestas o cristal tem, basta contar suas linhas). A ponta costuma ter de três a sete arestas, às vezes oito. Esse é um dos aspectos determinantes com relação às pontas relacionadas neste capítulo.

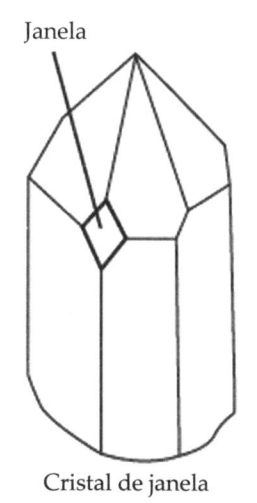

Ponta de quartzo padrão

Cristal de janela

Este cristal tem uma ou mais "janelas" em formato de losango, onde a base encontra a ponta. Em alguns casos, em vez de ter forma de losango, a janela é um retângulo alongado. Essas costumam ser chamadas de janelas para o futuro (quando se inclinam para a frente) ou para o passado (quando se inclinam para trás), ou "linhas do tempo", de forma que você possa contemplar e analisar o que aprender com o passado e como se preparar para o futuro. Algumas fontes se referem a essas "janelas retangulares" alongadas como pontos de ativação, que podem ser usados para ajudar a estimular as funções do lado direito e esquerdo do cérebro. Independentemente de como decidir usá-los, esses cristais de janela podem ajudar a mente e a intuição.

Cristais de janela são bons para adivinhações: segure-os enquanto lê cartas de tarô ou guarde-os junto com o seu baralho. Eles são úteis quando quer ativar o seu Terceiro Olho e excelentes para a autorreflexão e a contemplação. Tente dormir com um deles embaixo do travesseiro para ter presságios durante os sonhos. Antes de usar o seu cristal de janela para um intuito específico, dedique-o visualizando a sua necessidade e focando o seu propósito.

Cântico:
Janela, me ajude a ver, claro como a água.
Janela, me permita saber, deixe tudo às claras!

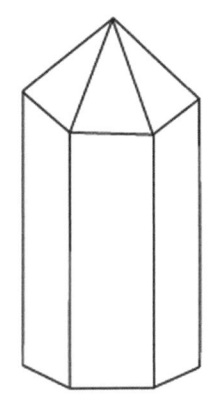

Cristal gerador

Estes cristais têm seis faces quase iguais, que se encontram num ponto. São raros na natureza e geralmente lapidados e polidos para formar uma ponta perfeita. Esses cristais lapidados ainda podem ser usados na magia e não são inferiores aos naturais, embora encontrar um gerador seja certamente mais empolgante. Os cristais lapidados costumam ser moldados de forma a ficar em pé numa base plana, com a ponta para cima. Algumas pontas de geradores naturais são polidas também, para acentuar as faces do cristal. Recomendo que tenha alguns tipos diferentes na sua coleção.

Cristal gerador

A finalidade das pontas geradoras é ampliar e direcionar com constância o fluxo de energia, então elas também são um bom complemento a uma grade (Capítulo Dez) ou outro arranjo. Considere a possibilidade de colocar uma no centro de um ritual em grupo para ajudar a projetar a energia elevada (mas primeiro deixe a pedra passar pelo grupo, para que todos tenham a chance de segurá-la). É comum que essas pedras sejam usadas como pontas de varinha, mas você pode simplesmente segurá-lo na mão para ajudar a direcionar a energia.

Para dedicar essa ponta, segure-a na sua mão projetiva e visualize a energia fluindo de dentro de você, pelo seu braço, mão, pontas dos dedos e finalmente através do cristal, onde a energia ganha poder e se acumula num feixe de luz, um feixe que emana da ponta como um laser. Faça essa mesma visualização quando usar o cristal. Durante a dedicação, entoe este cântico:

Através do meu corpo e deste cristal,
A energia flui e é compartilhada,
Projetada com intenção real,
Minha vontade é realizada.

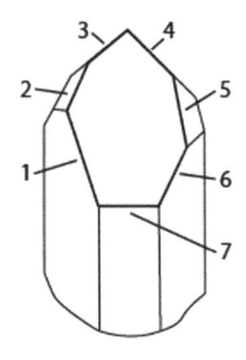

Cristal canalizador

Estas pontas têm uma face grande, com sete arestas planas. O ideal é que ele tenha uma face triangular do lado oposto. Algumas pontas geradoras são perfeitamente simétricas — três faces com sete arestas e, no meio, três faces com três arestas. Como este cristal é associado ao número sete, ele é perfeito para buscas místicas e espirituais, e pode ser usado para ajudá-lo a absorver sabedoria vinda tanto do seu interior quanto do exterior.

Cristal canalizador

Se as pontas geradoras irradiam energia e ajudam com o fluxo, as pontas canalizadoras são usadas para receber energia e ótimas para meditação focada numa questão específica. Eu tenho uma ponta canalizadora grande que é por acaso um quartzo esfumaçado. Acredito que essa variedade é especialmente útil para se usar na meditação.

Utilidades de um cristal canalizador:
- Abrir um canal para receber energia ou informação (enquanto está acordado ou dormindo)
- Entrar num estado meditativo
- Ativar o Terceiro Olho

Segure a pedra contra o Terceiro Olho (com a mão receptiva) ou aponte-o para você; esteja aberto a aceitar qualquer inspiração que receber. Ouça.

A luz do luar é especialmente eficaz para carregar uma ponta canalizadora. Este é o cântico que você deve usar para começar:

Para o bem de todos permitirei,
que o caminho se abra com esse rito.
Aceito e acredito
que o que preciso receberei.

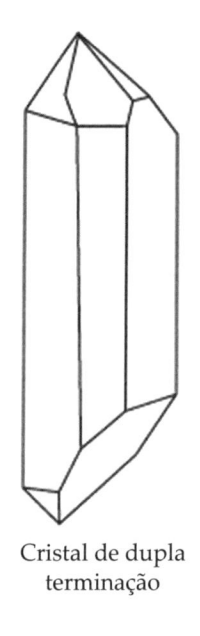

Cristal de dupla terminação

Esses cristais têm uma ponta em cada extremidade e, ainda que costumem ser lapidados dessa maneira para serem usados como pingentes, você pode conseguir encontrar alguns naturais. Essas pontas são ótimas para serem usadas em projeções astrais, meditação e magia onírica. Tente dormir com uma ponta de dupla terminação sob o travesseiro para obter resposta a uma pergunta. Esses cristais também são às vezes usados como pêndulos. Experimente este cântico para que a energia comece a fluir:

Cristal de dupla terminação

Fluindo para a frente e retornando,
Energia saindo e entrando.
Quando preciso e planejo,
A energia envio e recebo.

Essas pontas são uma excelente escolha para se usar em grades (Capítulo Dez), visto que aumentam o fluxo de energia. Também podem ser usadas a dois ou em grupos, para facilitar o fluxo de energia.

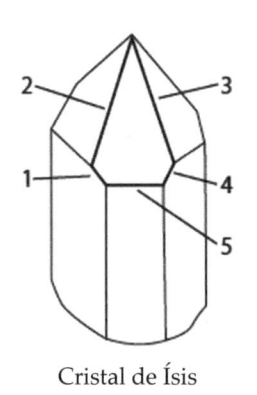

Cristal de Ísis

Quando se trata de pontas de cristais, esta é uma das variações mais difíceis de encontrar. Neste caso, a face maior da ponta tem cinco arestas, formando um desenho muito específico. As linhas não precisam ser perfeitas, mas a forma ainda precisa estar presente. Use esta ponta para entrar em contato com a sua deusa interior, pois esse cristal contém uma forte energia feminina.

Cristal de Ísis

Como essa ponta é associada ao número cinco, ela também é útil para executar magias de cura, para as ocasiões em que precisa de ser confortado ou para lidar com problemas emocionais ou ligados à fertilidade e ao amor (ver Capítulo Nove para conhecer outras associações numerológicas). Este é o melhor cristal para o poder feminino, pois é forte e reconfortante. Use este cântico para sintonizar essa energia:

Forte e sábia, a deusa provê.
Ajude-me a ver tudo da forma que você vê.

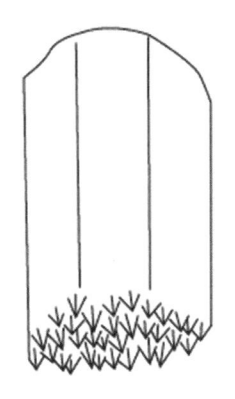

Cristal que se curou

Existem dois tipos principais desse tipo de cristal. Um deles parece ter se quebrado e então se reconstituído, solidificando seus pedaços. Essa variedade normalmente tem veios na região onde a ruptura ocorreu, e o local não é mais perfeitamente plano. Às vezes, a reconstituição altera os ângulos e o cristal parece curvo. O outro tipo de cristal de autocura ou reconstituído não possui nenhuma saliência ou reentrância na extremidade onde se separou da sua base. Em vez disso, tem uma base plana de onde brotam várias pontas triangulares. Pode haver dúzias ou mesmo centenas delas; elas podem lembrar

Cristal que seu curou

pontas armazenadoras empilhadas. Nesse caso, depois que a ponta se separou da base, ela se reconstituiu.

Essas pontas são ótimas para qualquer tipo de trabalho de cura. Segure-as na mão ou as coloque sobre a área onde você deseja receber energia de cura. Visualize a cura específica de que precisa e repita este cântico:

Renovação, reparo,
Cure com cuidado.

Você também pode enrolar essas pontas num tecido e escondê-las embaixo da roupa, se desejar, ou achar uma forma de usá-las como joia.

Cristal "arco-íris"

Às vezes, quando você gira uma pedra sob a luz, faixas ou aspirais de cor que lembram arco-íris aparecem dentro da pedra. Isso é causado por uma fratura dentro do cristal (às vezes ela surge durante a formação do cristal; às vezes durante o processo da mineração). Esses "defeitos" muitas vezes dão ao cristal uma aparência adorável. Medite com cristais "arco-íris" para se conectar espiritualmente ou para se sentir mais feliz.

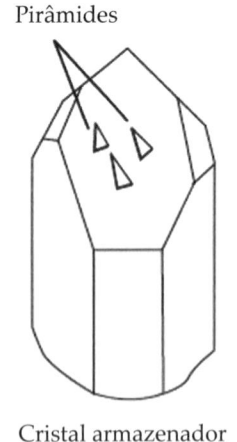

Pirâmides

Cristal armazenador

Cristal armazenador

Conhecido por ser uma das formações cristalinas mais místicas e raras, os armazenadores possuem pequenos triângulos em uma ou mais faces. Essas marcas podem variar desde formas protuberantes e bem visíveis até marcas tão discretas que você só vê se estiver procurando por elas. Dizem que armazenadores podem guardar uma sabedoria antiga; alguns afirmam que eles contêm os segredos do universo, basta conseguir acessá-los. Seja qual for a origem desses triângulos, eles são raros e encontrá-los é muito empolgante.

A minha experiência com armazenadores começou com uma ponta transparente grande e uma drusa de ametista. Eu não estava procurando por eles — os cristais "me encontraram", como os armazenadores costumam fazer. Eu não sabia que a ponta transparente era um armazenador quando a comprei; eu a consegui numa troca, junto com várias outras pontas que estavam sendo vendidas a um preço muito baixo porque eram "defeituosas". Nesse caso, os triângulos são muito pequenos e sutis; algumas das faces dessa ponta são ásperas e irregulares, provavelmente a razão por que ela foi considerada imperfeita.

A minha ametista armazenadora foi um presente de uma colega amante de cristais. Essa drusa em particular contém hematita, o que confere à pedra um tom marrom-avermelhado semelhante ao da ferrugem (às vezes ela é chamada de ametista vermelha). Acontece que pelo menos quatro pontas da drusa são armazenadoras!

Permita-me uma pequena digressão para compartilhar a história de um cristal armazenador. Um dia reparei que a minha ametista vermelha armazenadora tinha acumulado uma boa camada de poeira; estava esquecida numa prateleira. Depois de limpá-la cuidadosamente, passei um tempo com ela aquele dia, meditando. Então me dei conta de que nunca tinha apreciado a pedra de fato, por causa da sua coloração incomum.

Mais tarde naquela mesma noite, peguei a última ponta de quartzo que eu havia adquirido. Exatamente um mês antes, eu tinha conseguido aquela linda pedra numa troca. Era a minha primeira ponta de Ísis, uma ponta transparente com mais de vinte centímetros. Eu por acaso girei a ponta na luz e descobri que ela era um cristal armazenador! Ela possuía alguns triângulos muito pequenos em várias faces e eu nunca tinha notado antes.

Talvez os meus olhos estivessem mais treinados ou talvez fosse o ângulo da luz, mas decidi examinar novamente todas as minhas outras pontas de quartzo. Eu tinha algumas havia décadas, cristais que estudei e com que havia trabalhado muitas vezes. Pelo menos três deles se revelaram armazenadores! Como é que eu nunca tinha notado? Talvez seja verdade que essas pontas se mostrem à pessoa quando ela precisa receber esse conhecimento. Ou talvez o meu trabalho com um deles naquela tarde tivesse ativado a minha consciência ou as pedras. Seja qual for a razão, me encanta poder trabalhar com essas pedras.

As lições a se tirar dessa experiência são: dê tempo aos seus cristais — pode levar anos até você estar pronto para o que eles têm a oferecer; reexamine as suas pedras periodicamente, aproveite para limpá-las e analisá-las; e preste atenção aos sinais sutis.

Quando você quiser identificar um armazenador, primeiro limpe a pedra com um pano macio. Certifique-se de que não haja marcas de dedo nela. Gire o cristal contra a luz, de modo que ela atravesse as suas faces, criando uma superfície quase espelhada. Então examine cada aresta da ponta. Diferentemente dos triângulos proeminentes, mais óbvios, você não verá esse tipo de marca se olhar para o cristal diretamente. Também pode ser útil usar uma lente de aumento, caso você tenha pontas muito pequenas. E lembre-se de que às vezes os triângulos são quase como um simples contorno desenhado no cristal: você não conseguirá senti-los com os dedos. Talvez encontre um único triângulo, ou dezenas deles, ou quem sabe mais do que consegue contar. Às vezes eles até se sobrepõem uns aos outros. E podem aparecer em uma única face ou em várias.

Outro fato interessante sobre os meus armazenadores é que, dos seis que eu tenho, três foram obtidos sem transação monetária: foram presentes ou objetos de troca. Desses três, dois são muito especiais: a drusa de ametista vermelha e a ponta de Ísis; os outros são pontas transparentes normais, não têm nenhuma outra característica especial. Acredito que isso tenha um significado, pois mostra que às vezes as pedras que "encontram você" muitas vezes são extraordinárias e realmente têm um propósito. Pode levar anos até que você perceba, mas fique de olho nessas pedras, porque o propósito delas vai se revelar a você mais cedo ou mais tarde. Você talvez até já possua algumas e não esteja consciente ainda da sua presença.

Há outra questão interessante com relação às pontas armazenadoras. Três dos meus quartzos transparentes armazenadores se curaram a si mesmos na base. Nelas, há numerosos triângulos amontoados. Na minha coleção de mais de trinta pontas de quartzo transparentes, somente esses três armazenadores apresentam o padrão de autocura. Obviamente, essas formas fazem parte do padrão natural de formação dos cristais, mas me fizeram refletir: talvez esse tipo de cristal que seu curou tenha algo a ver com a formação de cristais armazenadores. Então, examine a base das suas pontas e, se encontrar as marcas de autocura, observe as facetas da ponta para ver se você tem um armazenador. Um armazenador que se curou pode conferir ainda mais poder e conhecimento a quem o utiliza. E se o seu armazenador que se curou tem outras características especiais, ele é um verdadeiro tesouro. Seja qual for o propósito dessas pequenas pirâmides, elas são interessantes e raras.

Para "ativar" o seu armazenador, você pode escolher uma entre várias abordagens. Meditar com o cristal, dormir com ele perto de você ou debaixo do travesseiro, carregá-lo com você. Segure a pedra e esfregue os pequenos triângulos com os dedos ou com as pontas deles. Esteja aberto para receber mensagens. Experimente este cântico:

Triângulo místico sob o meu toque,
Divida comigo seu saber secreto.
Mostre-me da sabedoria o trajeto.
Para que o seu conhecimento eu invoque.

Visualize os pequenos triângulos se abrindo para revelar informações. Você também pode usar essa pedra para trabalhar com o seu chakra do Terceiro Olho, visualizando a sua capacidade de "ver" o que o cristal tem a revelar. Segure a pedra contra a testa, se quiser. Você pode imaginar um dos triângulos como uma porta: atravesse-a.

Oito

Rituais, meditações e afirmações

Introdução

Ao longo da minha experiência de trabalho com pedras, descobri que a meditação é uma técnica muito útil. Há algo de reconfortante em segurar uma pedra ou fitá-la: ela pode nos ajudar a relaxar e acalmar nossa mente. Os encantamentos deste capítulo têm em comum o seu uso na meditação, na divinação ou num determinado tipo de ritual de dedicação ou afirmação pessoal.

Ritual para dedicar a sua pedra pessoal de poder

O que são pedras pessoais de poder? São pedras para as quais indivíduos se sentem atraídos, muitas vezes por razões que nem sabem explicar. Podemos dizer que inicialmente o que nos atrai é a sua aparência, mas às vezes queremos ter uma pedra porque nossa intuição nos diz que precisamos dela. Leve em conta todos esses motivos para encontrar as suas pedras pessoais de poder. Semelhantes a animais totem, essas pedras podem mudar o significado que têm para nós depois de um período de tempo, e podemos ter várias, para momentos específicos da nossa vida. Use a sua intuição, medite. Pesquise as qualidades da pedra que você escolheu. Você pode descobrir uma necessidade à qual não tinha dado atenção e pode então encontrar maneiras de usar as suas pedras pessoais de poder para melhorar a sua vida. (Ver Capítulo Nove para sugestões baseadas no mês de nascimento, astrologia e numerologia.)

Como descobrir se uma pedra é a sua pedra pessoal de poder:

- O que você sente por ela ultrapassa o sentimento de simplesmente "gostar". Você se sente compelido a adquirir muitos exemplares dessa pedra ou joias feitas com ela. Você tem exemplares de vários tamanhos e tipos.
- As pessoas dão essa pedra a você ou você parece encontrá-la facilmente. Essas pedras tendem a "encontrá-lo". Você pode ou não se sentir realmente atraído por elas.

Se você de fato se sente atraído por uma pedra, isso também é um sinal. Ou pode ser um sinal de que você simplesmente acha essa pedra bonita. Nem toda a pedra que você usa como joia é necessariamente uma pedra pessoal de poder. Pedras, preciosas ou não, ainda são usadas para decoração, afinal de contas!

Todos escolhemos pedras que consideramos bonitas para usar como joia ou decoração. Mas às vezes nós simplesmente "precisamos" de uma pedra por um motivo que não conseguimos explicar. Não ignore esse sentimento, é evidente que há um motivo para você precisar dessa pedra nesse momento.

Eu tenho uma amiga próxima e irmã de coven que nunca gostou de cor-de-rosa. No entanto, ela se viu inexplicavelmente atraída por uma adorável pedra de rodocrosita de cor rosada (e essa não é uma pedra relacionada ao seu signo astrológico ou mês de nascimento). Embora achasse que a pedra não tinha nada a ver com ela, ela a queria — precisava dela. A minha amiga descreveu uma sensação de paz e tranquilidade que tomou conta dela na primeira vez que segurou a pedra. Esse é um exemplo do que é se sentir atraído por uma pedra, especialmente uma que normalmente não o interessaria.

A minha amiga acabou comprando algumas contas de rodocrosita para fazer um colar. Descobriu posteriormente que essa é a pedra pessoal de poder dela. Ela se deparou com a pedra por acaso, ou é o que parece. Sempre ouça a sua voz interior.

Mais um exemplo: compareci, pouco tempo atrás, a uma exposição de pedras preciosas e minerais com uma velha amiga que é colecionadora, mas não costuma trabalhar com o aspecto metafísico das pedras. Ela se perguntava por que sempre se sentia atraída por variedades específicas de pedras ou por que algumas pedras sempre pareciam encontrá-la. Conversando com ela, descobri que vinha fazendo um trabalho com chakras para abrir o seu Terceiro Olho e aumentar sua intuição. Não surpreende que ametista fosse uma das pedras pelas quais ela se sentia atraída.

Para adquirir conhecimento da sua pedra pessoal de poder, medite com ela, use-a como joia, durma com ela sob o travesseiro ou a carregue com você. Pesquise as suas propriedades metafísicas e seu folclore. Reflita se eles de alguma forma correspondem a situações da sua vida atual. Se não encontrar uma conexão imediata, não há problema, pode acontecer algo no futuro para o qual você precisava estar preparado. Ou talvez você simplesmente precise fortalecer um aspecto da sua vida, em particular.

Você pode dedicar qualquer tipo de pedra pessoal de poder (pedras naturais ou polidas, joias ou formas lapidadas) através deste ritual.

Posicione a pedra no seu altar ou em outro local sagrado, visualize uma conexão entre você e a pedra e entoe o seguinte cântico:

Pedra minha, você veio até mim
Pedra divina, eu te peço assim:
Hoje e sempre, aqui e agora,
Busco o poder que de ti aflora;

O que você a mim deseja
É para o bem maior, então que seja.

Ritual para abrir o Terceiro Olho

O Terceiro Olho é conhecido como a base da intuição e do discernimento; também é onde se localiza um dos chakras. Use este ritual para praticar a busca de sabedoria interior e aprender a usar a intuição. Comece escolhendo uma pedra desta lista (todas essas pedras são conhecidas pela sua capacidade de abrir o Terceiro Olho): ametista, apatita, apofilita, azurita, fluorita (roxa), diamante de Herkimer, iolita, cianita, lápis-lazúli, pedra-da-lua, opala, quartzo transparente, vulfenita.

Respire fundo e se concentre. Visualize o seu Terceiro Olho se abrindo: imagine um olho de verdade no centro da sua testa, onde estão concentradas a sua intuição e a sua capacidade psíquica natural. Segure a pedra contra a testa enquanto visualiza e entoa:

Olho que vê tudo que há para ver
Abra-se agora, sem nada esconder.
Olho que mostra tudo o que preciso
Agora está livre, sem prejuízo.

Magia com quartzo esfumaçado para a temperança

O quartzo esfumaçado tem sido chamado de "pedra da cooperação". Ele pode ser usado para ajudar a eliminar bloqueios mentais e emocionais, transformar a negatividade e complementar técnicas de equilíbrio e foco. Por causa dessas características, o quartzo esfumaçado confere clareza e profundidade à meditação, ao mesmo tempo que permite que você fique "presente" no seu corpo físico (use-o para entrar em contato consigo mesmo), do ponto de vista mental e físico.

Eu sempre me senti atraída por quartzos esfumaçados. Talvez porque sou do signo de Libra e a natureza equilibradora desse cristal me atraia. Para a meditação, recomendo essa pedra com veemência. Por ser um quartzo, ela ajuda a clarear a mente, pois tem uma propriedade calmante. Ancora, mas não excessivamente, deixando a mente livre para se expandir. Gosto também de segurar esse cristal antes e depois de praticar yoga. O quartzo esfumaçado tem uma energia suave, perfeita para preparar e relaxar o corpo. É por isso que considero essa pedra perfeita para a temperança: ela proporciona um equilíbrio entre a ancoragem e a elevação, deixando quem a usa centrado, calmo e bem-disposto. A moderação lhe permite desfrutar do prazer da experiência sem cometer excessos, uma prática útil para qualquer um que tenha maus hábitos ou tendência a abusar de uma coisa boa. Por causa desse poder suave para equilibrar, o quartzo esfumaçado é visto na Astrologia como uma pedra apropriada especialmente para quem é de Libra. No entanto, qualquer um pode receber os benefícios que o quartzo esfumaçado oferece. Esta magia trabalha com a propriedade de equilíbrio dessa pedra para ajudá-lo a desenvolver a moderação.

Naturalmente, se você tem um vício ou problema de saúde, deve procurar um médico, mas considere a possibilidade de conciliar este ritual com o tratamento médico. Se você tem um mau hábito e quer superá-lo, use esta magia para ajudá-lo a conquistar força e equilíbrio.

Para esta magia em particular, o melhor tipo de quartzo esfumaçado é uma ponta ou uma pedra polida. Joias também podem ser usadas, mas segurar uma pedra pouco manuseada vai gerar mais energia. É claro que carregar uma pedra de quartzo esfumaçado durante esse encantamento ajudará a manter a energia com você após o ritual. Realize-o durante a lua minguante ou lua negra; a lua no signo de Libra é ideal.

Além da pedra de quartzo esfumaçado (combinada com uma joia de quartzo esfumaçado, se você quiser) serão necessários:

- Mesa ou altar
- Duas velas, uma preta e uma branca

Sente-se no chão, de frente para um altar pequeno ou mesa de meditação, ou sente-se numa cadeira perto de uma mesa. Acenda a vela preta e a vela branca sobre a mesa à sua frente e coloque a pedra entre elas.

Visualize o equilíbrio que você procura. Então, pegue a pedra com ambas as mãos (e coloque a joia), repetindo este cântico seis vezes:

Equilíbrio entre a luz e a escuridão,
Equilíbrio que essa noite eu busco.
Frente à decisão, eu passo no teste
E encontro o equilíbrio que melhor me veste.

Medite pelo tempo que quiser, segurando a pedra e fitando as velas. Quando se sentir pronto, recoloque a pedra entre as velas e deixe que elas queimem até o fim. Segure a pedra sempre que achar necessário e/ou use a joia. Repita esta magia sempre que desejar, mas no intervalo de alguns meses.

Magia dos sonhos

Este encantamento pode servir para diversos propósitos. Talvez você queira se lembrar dos seus sonhos, espere que um sonho profético o inspire na solução de um problema ou queira afastar pesadelos. Você vai precisar de uma pedra de celestita, e quanto maior, melhor. Essa é a melhor pedra para a magia dos sonhos, e também é eficaz para restabelecer o equilíbrio ou resolver problemas, além de ajudar nas viagens astrais. Nesse encantamento, você terá de deixar a pedra embaixo da cama ou sobre a mesa de cabeceira. Se a sua pedra for pequena e polida, poderá deixá-la embaixo do travesseiro ou dentro da fronha, se quiser.

Dedique a pedra. Visualize-a amplificando os seus sonhos, tornando-os mais claros, ajudando-os a permanecer com você e, o mais importante, deixando que você descubra o seu significado.

Cântico:

Sonhos, enigmas que a noite inflama,
Tragam-me entendimento, paz e clareza,
Quando esta noite eu for para a cama.

Contas de oração

As contas são consideradas um recurso para praticamente qualquer propósito, porque são úteis em encantamentos normalmente baseados em orações e podem ser usadas para atender à maioria das necessidades e expressão pessoais.

Mais uma vez você tem a opção de usar as suas habilidades e utensílios para a confecção de joias. Se não tem esses utensílios ou materiais, passe as contas por um cordão e dê um nó apertado em cada ponta.

Você vai precisar de:

- Um quartzo transparente, em forma de pingente, furado para que seja possível passá-lo por um cordão (ou você pode optar por usar uma ponta de cristal ou outro símbolo como uma figura da deusa, um pentágono etc.).
- Cinco contas de prata de lei (de qualquer tamanho, preferivelmente menores do que as contas de oração).
- Duas contas de hematita redondas.
- Três contas de quartzo transparente redondas.
- Cinco contas de olho-de-tigre redondas.
- Oito contas de aventurina redondas.
- Treze contas de quartzo rosa redondas.

Para melhores resultados, escolha contas de tamanho homogêneo. No entanto, o primeiro conjunto (hematita e quartzo transparente) pode ser menor que os outros, se assim desejar.

Passe as contas por um cordão nesta ordem: depois da pedra principal, acrescente uma conta de prata, então duas de hematita, três de quartzo transparente, outra de prata, cinco de olho-de-tigre, outra de prata, oito de aventurina, outra de prata, então as treze de quartzo rosa e por fim a de prata. Finalize da forma que quiser. Eu usei a última conta de prata para amarrar o colar. Dica: não deixe o cordão tão curto que as contas não consigam se movimentar um pouco. Deixe um pouco de espaço, de forma que você possa fazer as contas deslizarem levemente sob os seus dedos. Você pode amarrar um laço ou um pingente de seda no final, se preferir.

O número de pedras corresponde à da Sequência de Fibonacci: 1, 2, 3, 5, 8 e 13. As pedras são usadas para os seguintes propósitos: o quartzo transparente é um bom amplificador de energia em geral e a prata conduz a energia pelo cordão; a hematita é usada para estimular a mente; o olho-de-tigre é utilizado para impulsionar o foco, a ancoragem, a coragem, o equilíbrio e o otimismo (é uma excelente pedra pessoal de poder para pôr ideias em prática); a aventurina é normalmente usada para dar sorte e prosperidade (como o olho-de-tigre) e estimula a autoconfiança, o relaxamento, a motivação, a cura e a criatividade; o quartzo rosa promove o amor-próprio e universal, o perdão, a compaixão e também é calmante.

Note que esse cordão é quase completamente formado por quartzos. Há uma razão para isso. As pedras complementam umas às outras por terem propriedades semelhantes. A hematita metálica e a prata funcionam como condutores.

Depois que você compôs o cordão, dedique-o. Espere a lua crescente (o ideal, na verdade, é que comece na lua nova e complete a dedicação na lua cheia). Use qualquer formato ou ritual de dedicação que quiser. Gosto de colocar as contas no meu altar e, toda noite, segurá-las e visualizá-las recebendo energia. Você pode acender uma vela perto delas durante algumas horas por noite.

Alguém disse um dia que rezar é falar com o divino e meditar é ouvi-lo. Embora você possa usar as contas de oração como um instrumento de meditação, o propósito desse cordão é, na verdade, a oração: enviar os seus pensamentos, desejos e necessidades para o universo.

Visualize os seus pedidos de orientação, força, calma... o que quer que precise.

Não há forma certa ou errada de usar essas contas. Se está familiarizado com o rosário católico, sabe que o número de contas ajuda a lembrar o número de vezes que se deve se fazer a oração. Quanto às suas contas, você é quem decide como usá-las. Para esse cordão em particular, a correspondência com a Sequência de Fibonacci tem a intenção de proporcionar um sentimento de harmonia, enquanto as contas de quartzo servem a um propósito específico.

O círculo é um símbolo popular pela sua natureza infinita, mas esse conjunto de contas é um cordão. Assim, a série de contas chega a um fim e você pode imaginar um desfecho: os seus pensamentos sendo enviados para o universo.

Para começar a usar as contas, segure o pingente, concentre-se e respire fundo. Visualize a sua alma em sintonia com o espírito universal. Depois que tiver memorizado o padrão de contas, pode fechar os

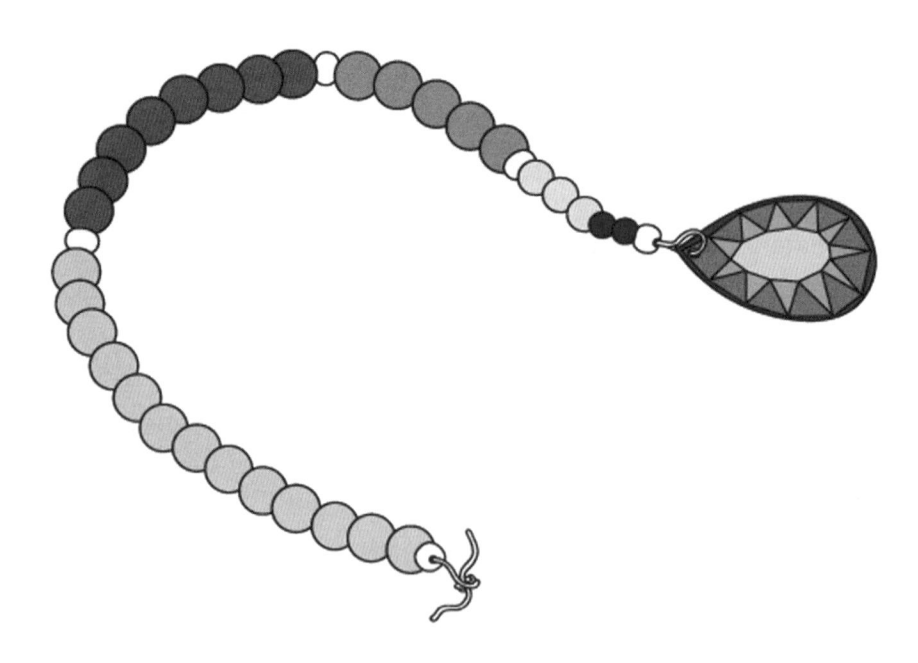

Contas de oração

olhos enquanto as usa. Também pode dizer as suas próprias palavras ou usar o cântico sugerido.

Comece segurando o pingente de quartzo. Concentre-se em acalmar a mente e o espírito, fazendo contato com o universo, a deusa ou qualquer outra presença divina. Isso estabelece a sua intenção. A prata avisa sobre a transição para o próximo conjunto de contas, de hematita, o que aumenta o seu foco e aprofunda a sua intenção. As três contas de quartzo transparente foram projetadas para levar os seus pensamentos intactos para a fase seguinte. Use as duas hematitas e as três contas de quartzo para visualizar o movimento que você faz de si mesmo para o contato com o divino; em seguida, uma conta de prata para a transição. Com respeito às cinco contas de olho-de-tigre, lembre que cinco é o número da vida. Use-as para focar em aspectos da sua vida para os quais deseja pedir ajuda, passando aos aspectos materiais representados pela aventurina. E, por fim, o quartzo rosa, no final, representa o desfecho, o amor-próprio e o amor universal.

Início

Ouça a minha voz, escute o meu coração.
Com estas palavras, comunico
Tudo que espero; tudo que sinto
Nesta oração agora revelo.

Entoe essas palavras para cada conta dos conjuntos de pedras.

Duas hematitas

Conheça minha mente, o seu centro.
Procure lá fora; olhe para dentro.

Três quartzos transparentes

Na minha alma, eu pondero.
Espírito universal, eu conecto.

Cinco olhos de tigre
Desejo focado no meu melhor.
As minhas metas, vou expor.

Oito aventurinas
Saúde e dinheiro, vão vir pra mim.
Atendam meu pedido, só aceito um sim.

Treze quartzos rosa
Amor por mim, amor para compartilhar.
Amor divino em todo lugar.

Se isso lhe parece mais um encantamento do que uma oração, provavelmente é porque eles são bastante similares. Tente memorizar essas palavras para que, enquanto as profere, a sua mente fique livre para visualizar as suas necessidades e metas pessoais e específicas. As palavras se tornarão como um mantra e você as saberá de cor: o acompanhamento perfeito para visualizar as suas orações. A memorização também pode deixar a sua mente livre para incorporar as palavras do cântico. Procure não fazer a oração correndo, mecanicamente: sinta as palavras; conheça-as. Pinte-as com os seus desejos.

Você pode entoar o cântico enquanto confecciona o cordão, se quiser. Lembre-se, o que eu escrevi aqui é somente um exemplo. Você pode usar os seus conhecimentos de numerologia e pedras para criar o seu próprio conjunto de contas de oração.

Magia das encruzilhadas

Este encantamento requer uma "pedra da cruz", ou seja, a quiastolita. Essa formação especial é uma variedade única da andaluzita (cristais de andaluzita com uma marca de carbono em formato de cruz ou da letra "x"). Seu nome foi inspirado numa região onde foi muito abundante, a Andaluzia, na Espanha.

Esta magia pode ser usada caso você esteja buscando uma resposta ou solução, especialmente durante divinações. A pedra da cruz ajuda em fases de mudança e transição, morte e renascimento e em viagens astrais. É uma pedra excelente para ser usada na meditação voltada à solução de problemas. Também intensifica a criatividade, a praticidade, e pode ajudar quem a usa a manter a espiritualidade durante uma doença. Também é útil quando se precisa encontrar equilíbrio.

Segure a pedra e foque na sua pergunta ou problema.

Cântico:

Vejo uma encruzilhada diante de mim
Como uma montanha que preciso escalar.
Busco uma resposta ou solução,
Ajude-me a não vacilar.
Para fazer uma escolha ou decisão,
Quero forças encontrar.

Você pode carregar a pedra ou dormir com ela embaixo do colchão ou travesseiro.

Meditação com ônix para o equilíbrio

Ônix genuínos podem ser totalmente negros ou ter bandas pretas e brancas, embora muita gente acredite que o ônix sempre deve ser completamente negro. Na verdade, os ônix negros podem ser produzidos artificialmente com tinta ("ônix negros" vendidos como joia normalmente não são genuínos). O ônix é semelhante à ágata, mas as faixas normalmente são retas ou curvas paralelas, em tons de marrom e branco ou preto e branco; as faixas da ágata são curvas. O "ônix mexicano" é na verdade calcita com faixas e muitas vezes é usado para fazer estatuetas e outras esculturas pequenas. A maioria dos ônix vendida hoje em dia não é quartzo de ônix genuíno, então seja cuidadoso quando escolher sua pedra.

Esta meditação requer uma pedra de ônix verdadeira, de qualquer cor ou padrão. Uma pedra plana seria o ideal, mas uma pedra engastada numa joia também pode ser usada. Use essa meditação antes de fazer magia ou em qualquer momento que precisar de equilíbrio. O ônix pode ajudá-lo a se centrar ou a confiar nos seus instintos.

Prepare-se como normalmente faria para meditar. Sente-se numa posição confortável e segure o ônix na sua mão receptiva. Visualize o equilíbrio de forças do universo — o dia e a noite, o yin e o yang —, dois aspectos necessários para haver equilíbrio. Veja-os se unindo em perfeita harmonia dentro de você.

Cântico:

Pedra da terra contra a minha pele
Equilibre minha energia interior.
Yin e Yang, noite e dia
Que os opostos se unam dentro de mim.

Ritual de dedicação da pedra do totem

Talvez você tenha uma pedra com os traços de um dos seus animais totem: uma pedra lapidada no formato do animal ou com a imagem dele gravada ou pintada. Esse ritual serve para dedicar essa pedra e ajudar você a se conectar com a energia do seu animal (ou animais) totem.

Como as pedras pessoais de poder, as pessoas muitas vezes têm vários animais totem para propósitos específicos, ou descobrem que o seu animal totem muda dependendo da necessidade. Ou talvez você possa ter uma pedra entalhada que deseja usar para outro propósito, ainda que a criatura não seja um dos seus totens. Muitas vezes as formas entalhadas são feitas de um mineral como o quartzo, mas as que são pintadas costumam ser pedras comuns. Eu adquiri muitas delas ao longo dos anos, como na loja de suvenires de um museu de arte, onde encontrei um pingente de olho-de-tigre lapidado no formato de um dos meus totens; e numa viagem recente a Seattle, comprei uma pedra em que havia uma imagem pintada à mão de outro dos meus animais totens. Além disso, há anos venho colecionando figuras de animais entalhadas em ônix. Você que tem alguns desses itens, saiba que eles podem ser instrumentos de magia muito úteis.

Para dedicar a sua pedra, primeiro monte um altar para reverenciar o animal. Posicione a pedra dentro de um círculo de pontas de quartzo transparente, as pontas voltadas para a pedra. Você pode acrescentar velas ou incenso, se quiser, ou outros itens com um significado pessoal, mas certifique-se de incluir pelo menos uma representação do seu animal totem no altar, dependendo do tipo de criatura. Por exemplo, se o seu totem é um determinado pássaro, tente incorporar uma pena desse pássaro (ou qualquer pena, se você não tiver uma dessa espécie). É perfeitamente possível usar uma imagem ou desenho do animal, que pode ser a única outra representação no seu altar, especialmente se o animal é mítico. Uma estatueta do animal totem também seria uma escolha excelente. Use a sua imaginação e crie um espaço para reverenciar essa criatura. Se você tem vários animais totens que deseja reverenciar, dedique cada um deles separadamente. Contudo, não há problema algum em expor imagens de todos eles no altar que você usa regularmente.

Depois que o altar do seu totem estiver montado, acenda as velas e/ou incenso conforme desejar e visualize o seu animal totem. Enfoque as características da criatura e por que ela é significativa para você. Se ainda está no estágio da exploração, enfoque a sua conexão com esse animal e descubra por que ele veio até você. Experimente este cântico:

Criatura, você veio até mim. Por favor, me conte a razão.
Com você busco me conectar na mais apropriada hora e estação.
Ensine-me a sua sabedoria, aconselha-me, seja meu guia,
Através da sua imagem e com a energia que agora crio.

Você pode repetir esse ritual sempre que quiser, para se conectar com o animal totem ou dedicar qualquer objeto associado a ele. Depois da dedicação, você pode deixar uma representação do animal no seu altar em caráter permanente ou carregar uma imagem dele com você de alguma forma. Usar um símbolo do seu animal totem como joia também é uma boa opção.

Magia de escriação

Esse encantamento foi projetado para que você use uma bola de cristal, mas pode utilizar outros métodos se preferir. A escriação pode ser feita com praticamente qualquer substância translúcida ou reflexiva: água, metais, pedras, chamas ou espelhos. O objetivo é clarear a mente e procurar padrões ou imagens. Não espere ver imagens claras: você pode ver símbolos na sua mente, sugestões... Use a sua intuição para interpretá-los. Quando você fita atentamente uma substância polida, depois de um certo tempo o nervo óptico fica fatigado. Então você "vê" impressões do cérebro. Às vezes, se feito por muito tempo, o nervo fica de fato paralisado temporariamente. Não tente praticar a escriação por tempo demais sem uma pausa, especialmente se você é novo nisso.

Se você vai usar uma bola de cristal, certifique-se de limpá-la e programá-la ou dedicá-la conforme desejar. Uma esfera de quartzo transparente com inclusões (ao contrário de uma pedra perfeitamente transparente) na verdade funciona melhor para a escriação: a luz se contrapõe às inclusões na pedra, o que pode ajudar na visualização. Na verdade, a maioria das esferas de quartzo transparente genuíno não é perfeita. Eu não recomendo usar uma bola de cristal de chumbo, pois são de vidro e nem de perto tão eficazes quanto uma pedra de verdade. Você pode até tentar a obsidiana ou o azeviche. A escolha do objeto abre caminho para a sua intuição.

Coloque o cristal ou outra superfície reflexiva numa mesa à sua frente, de forma que possa se sentar confortavelmente e olhar para ele. Para evitar reflexos dos objetos à sua volta, coloque um tecido preto embaixo e atrás do cristal. Você pode prendê-lo a uma caixa para fazer uma cortina. Deixe o cômodo na penumbra e fique à luz de velas. Coloque as velas na frente da cortina, mas atrás do cristal (qualquer tipo de vela serve). Algumas pessoas gostam de usar círios (sete é o número tradicional), mas você pode tentar outros tamanhos e quantidades para ver o que funciona melhor para você. Mude as velas de posição até chegar à iluminação desejada. Antes de começar, use este cântico para se concentrar:

Esfera de cristal, lua em miniatura,
Aos meus sentidos conceda uma abertura.
Ajude-me a ver, dentro de você,
Tudo o que existe agora para eu saber.
Superfície brilhante, que agora fito,
Nas suas profundezas vejo o infinito.

Faça o que for preciso para evitar distrações durante o processo de escriação. Coloque as mãos abertas sobre a mesa, com as palmas voltadas para baixo; ou no seu colo, com as palmas para cima. Relaxe e não encare a pedra; em vez disso, deixe os seus olhos desfocados, como se estivesse olhando uma daquelas imagens tridimensionais. Tente fazer isso algumas vezes, poucos minutos por vez, não mais que cinco. Os seus olhos podem lacrimejar. Se isso acontecer, pare. Não se esforce demais e faça uma pausa se ficar cansado. Procure segurar a esfera de cristal nas mãos por um certo tempo, se quiser: às vezes ajuda a estabelecer uma conexão. Não se preocupe se a escriação não funcionar para você; esta não é uma técnica que todos conseguem dominar de imediato. Continue praticando.

Pêndulos

Pêndulos de cristal são muitas vezes usados em divinações e acredita-se que eles sofram a influência da radiação natural da Terra. Os pêndulos foram usados por civilizações ancestrais para localizar depósitos de minerais e água (rabdomancia).

O seu eu interior tem a resposta que você procura e o pêndulo dá movimento ao que você já sabe. Ele pode funcionar como um meio para você expressar a sua intuição que, de acordo com o que algumas pessoas acreditam, vem de um guia espiritual ou do eu superior. O pêndulo leva a intuição para a consciência. Use-o para responder perguntas cuja resposta é sim ou não.

Pontas artificiais são melhores por terem um equilíbrio perfeito, mas você pode tentar vários formatos. Essas pedras lapidadas à perfeição podem ser compradas em lojas de produtos esotéricos. Eu gosto de usar o quartzo transparente, mas você pode experimentar outros tipos de pedra. Suspenda o pêndulo por uma corrente de prata (você pode adquirir pedras envolvidas em arame ou em forma de pingente; às vezes os pêndulos são vendidos com cordão, mas descobri na prática que a prata funciona melhor). Pratique com o seu pêndulo para saber como ele oscila para responder sim ou não a uma pergunta.

Algumas pessoas gostam de usar cartas de tarô, imagens ou quaisquer outros símbolos e segurar o pêndulo acima delas enquanto se concentram numa pergunta para ver se o cristal aponta para um objeto em particular. Experimente diversos desses métodos para descobrir o que funciona para você. Procure deixar as emoções de lado. Mantenha-se aberto e neutro.

A técnica é importante: Utilize um fio ou corrente que tenha aproximadamente treze centímetros. Certifique-se de que seu braço esteja esticado, paralelo à superfície que você está usando. Relaxe o pulso. Utilize o polegar e o indicador para segurar a corrente. A técnica requer prática. Após umas oito ou dez oscilações você deve ter uma ideia do que o seu pêndulo está tentando dizer. Pare-o, então recomece as oscilações neutras. Dessa vez, concentre-se em manter o pêndulo oscilando numa direção específica, circular ou elíptica. Pratique assim, após um tempo fazendo o pêndulo girar no sentido anti-horário, horário, e até interrompendo o seu movimento de repente.

Em seguida, pratique com as respostas. Faça perguntas cuja resposta seja sim ou não e sobre as quais você já tenha certeza das respostas e veja como o seu pêndulo se movimenta. Depois de estar segura com relação aos movimentos do seu pêndulo, você está pronta para praticar divinações com ele. Você pode até mesmo usar desenhos, padrões e grades para encontrar respostas para as suas perguntas. Pode usar uma simples lista de números ou um espectro de cores.

Ritual para programar e dedicar o seu pêndulo:

Segure o pêndulo com a mão projetiva e visualize o uso que você pretende dar ao pêndulo na divinação. Experimente este cântico:

Eu dedico esta pedra
Para ver o que não sei.
Com esta divinação
Sabedoria obterei.

Enquanto usa o pêndulo para divinação, experimente este cântico:

Passado e futuro
Se mostrarão.
Com este pêndulo,
Não há mais confusão.

Nove

Numerologia: pedras e números

Introdução

Praticantes de magia da Antiguidade acreditavam que a compreensão dos números era fundamental para as suas artes. Na magia, os números sempre foram levados em consideração em cálculos, fórmulas, poções, alquimia, medição do tempo e assim por diante. Usamos os números para determinar o movimento dos corpos celestes, para fazer prognósticos e, de certa forma, para conhecer o futuro. Estudando os seus padrões, podemos saber quando um planeta ocupará uma área específica do espaço e como determinar solstícios, equinócios, alinhamentos e eclipses.

Há muitas formas de incorporar a numerologia na sua prática de magia com cristais. Se cada número tem uma vibração específica, descobrir essas correspondências pode ajudá-lo a encontrar equilíbrio e gerar relações harmoniosas à sua volta, visto que os alimentos, os objetos, as cores e as pessoas, tudo vibra. Essa é uma crença comum da Nova Era. Isso nunca foi declarado por estudos científicos, mas o praticante da cura com cristais muitas vezes trabalha com esse princípio em mente, visto que os cristais supostamente também vibram com números específicos. Alguns numerologistas afirmam que você deve descobrir os números que faltam no seu nome e trabalhar com as pedras baseando-se nesses números, que podem ser calculados por meio de um mapa numerológico.

Os números podem ser convertidos nas letras de um nome; datas de nascimento podem ser usadas para calcular o número de nascimento de uma pessoa. E, é claro, os números são predominantes em estudos de astrologia e mapas astrais. Intervalos musicais e acordes produzem sons bonitos e harmoniosos aos quais as pessoas sempre respondem. Os números são associados a vários significados, planetas e características. E, naturalmente, eles são um aspecto importante da estrutura dos cristais.

Vamos começar encontrando os números que levarão você às pedras com as quais pode trabalhar.

Como encontrar os seus números

Assim como a astrologia, a numerologia procura orientar o comportamento do ser humano, os seus relacionamentos e outros aspectos da sua vida e personalidade com base nos números dessa pessoa. Esses números podem ser determinados de diversas formas. O nome é uma delas. Esse sistema tem raízes gregas, latinas e hebraicas: a gematria, a "prática de transformar o mundo em números", é frequentemente usada em divinações e na interpretação de textos religiosos. Cada sistema usa um mapa diferente. Há muitos números que você pode calcular, sendo os mais comuns os do seu nome e da sua data de nascimento.

Na numerologia da sua data de nascimento, a ideia é reduzir um número às suas menores partes. Veja o seguinte exemplo:

20 de janeiro de 1980
20 + 1 + 1980 = 2001
2 + 0 + 0 + 1 = 3
A numerologia da sua data de nascimento é 3.

Na numerologia do nome, as letras ganham um valor numérico. Essa fórmula ancestral foi baseada num sistema hebreu. Esses mapas permitem usar nomes para calcular o seu número especial. Por exemplo:

De acordo com esse mapa, o número de Jane Doe é 9:

1 + 1 + 5 + 5 + 4 + 6 + 5 = 27
2 + 7 = 9

1	2	3	4	5	6	7	8	9
A	B	C	D	E	F	G	H	I
J	K	L	M	N	O	P	Q	R
S	T	U	V	W	X	Y	Z	

Veja este outro mapa, mais fiel ao alfabeto hebreu:

1	2	3	4	5	6	7	8
A	B	C	D	E	U	O	F
I	K	G	M	H	V	Z	P
J	R	L	T	N	W		
Q	S		X				
Y							

De acordo com esse mapa, o número de Jane Doe é 1.

1 + 1 + 5 + 5 + 4 + 7 + 5 = 10
1 + 0 = 1

Experimente calcular o seu número com base em cada um dos mapas e compare os resultados. Você "gostou" mais de um resultado do que do outro? Se for esse o caso, use o que gostar mais. Ou experimente os dois. No caso de Jane Doe, que tem os números 9 e 1, ela poderia somá-los, totalizando 10, que pode ser reduzido ao número 1. Você pode somar os seus dois números e reduzi-los para obter mais um resultado.

Agora que você tem alguns números com que trabalhar, vamos encontrar algumas pedras correspondentes.

As páginas a seguir contêm listas de correspondências para o uso de números e pedras. Primeiro, será apresentada uma lista de números e a(s) pedra(s) mais comumente associada(s) a cada um deles, assim como o folclore associado a esses números. Em seguida, você encontrará uma lista de pedras que correspondem aos signos e uma lista de pedras de nascimento tradicionais, baseada nos meses. No fim deste capítulo contém alguns encantamentos que incorporam a numerologia.

As correspondências com as pedras aqui relacionadas referem-se à influência numérica, não necessariamente ao planeta ou signo. Nem todo número tem uma pedra ou metal associado a ele; aqui estão listados os mais comumente citados no folclore ou na prática de magia.

Nota: o planeta e o deus ou deusa que inspirou o nome dele são entidades distintas. Boa parte dessas informações vem de fontes atribuídas a Pitágoras, que conhecia os nomes dos deuses e deusas gregos; alguns dos planetas (que agora têm nomes de deuses romanos) não eram conhecidos naquela época. Além disso, o folclore associado a esses números também é apresentado.

Como começar

Comece determinando a numerologia da sua data de nascimento. Essa é a associação numerológica mais conhecida, pois nomes podem mudar, mas a data de aniversário, não. Esse também é um bom motivo para começar trabalhando com pedras baseadas no seu signo astrológico.

Examine as listas nas páginas seguintes para encontrar algumas pedras que correspondam ao seu número. Por exemplo, a numerologia da minha data de nascimento é 8; eu sou de Libra, signo associado ao número 6. O diamante e o ônix correspondem ao número 8; o diamante também é uma pedra de Libra. Como o diamante está associado aos dois, essa seria uma boa pedra para eu começar.

Além disso, como o número de Libra é 6, a opala e o cobre são boas escolhas para mim. A opala é uma pedra de nascimento tradicional para o mês de outubro, mas eu sou uma libriana de setembro, então a safira também está na minha lista de pedras natais tradicionais. No entanto, a pedra que alguém escolhe também depende do tipo de magia e do acesso da pessoa a essa pedra. Analise as suas opções. Na minha coleção não há diamantes ou safiras que não sejam pingentes, mas eu tenho pedras naturais de opala e cobre, que podem ser a melhor escolha para mim. Você também pode trabalhar com a sua Lua natal, o seu Ascendente ou outros aspectos do seu mapa astral. Nesse caso, se o cobre e a opala não correspondessem aos meus objetivos, eu buscaria outras opções, como descobrir a pedra do dia. Ou poderia analisar uma lista de pedras dos signos ou calcular a numerologia do meu nome.

Se algumas informações sobre números, pedras natais e signos parecem contraditórias, é porque há muitas maneiras de determinar as correspondências. Algumas coincidem, mas não há problema em haver diferenças. Certas correspondências são calculadas com base no folclore, nos elementos ou na astrologia. Outras se baseiam em cores ou associações com deuses e deusas. Mas isso resulta numa ampla gama de oportunidades, para que você sempre consiga encontrar algo que pode usar. Além de encontrar pedras que correspondam ao seu nome ou data de nascimento, você pode associar números e pedras para criar as suas próprias grades (ver Capítulo Dez). E, se desejar, use o ritual do Capítulo Oito para dedicar a sua pedra pessoal de poder.

Associações numerológicas

As primeiras pedras relacionadas que correspondem a cada número baseiam-se no folclore e nas associações planetárias. A segunda lista trata do número com o qual se acredita que essas pedras "vibrem". Mas perceba que essa "vibração" a que me refiro não é a mesma designada pelo termo científico; ela não tem nada a ver com o movimento de partículas subatômicas. Essas vibrações são cálculos feitos a partir do nome da pedra e do mapa numerológico. É a energia associada às letras (de acordo com o primeiro mapa apresentado neste capítulo). Você pode usar o mapa para calcular o nome de qualquer pedra; eu simplesmente relacionei algumas aqui para a sua conveniência.

UM (1) — *topázio, âmbar*

Pedras que vibram com o número 1: água-marinha, azurita, barita, bronzita, cobre, mica, obsidiana, turquesa

O número da solidão, permanência, unidade, raízes, início, centelha divina, expressão de si, ambição e coragem; outros afirmam que é tanto masculino quanto feminino, e somado ao ímpar torna-se par, enquanto transforma o par em ímpar. É o centro do círculo (o sol), da força de vontade, da determinação, da liderança. Os pitagóricos o chamavam de mônada: sempre igual, separado dos demais. Também afirma-se que representa a mente. Os deuses Apolo e Júpiter e a deusa Vesta (centro do lar) são associados ao número 1. Ele rege o signo de Leão. Numa grade, você pode definir alguns desses elementos como centro, para representar o sol, a centelha de vida ou o espírito.

DOIS (2) — *pedra-da-lua, prata, pérola e esmeralda*

Pedras que vibram com o número 2: bornita, granada, gipsita, ouro, granito, howlita, ferro, safira, turmalina

O 2 representa reflexão, polaridade, dualidade, equilíbrio, harmonia dos opostos, a mente inconsciente, a dualidade da humanidade e o divino, emoções, harmonia, cooperação, prosperidade, mistério, dinheiro, casamento, energia feminina (a lua), paz e receptividade. Os pitagóricos se referem ao 2 como a díade, o dual: dividido; a maternidade, mas também a separação; a polaridade. O número 2 é associado a Ísis, Diana, Ceres; a figura materna. Ele rege o signo de Câncer. Numa grade, use-o para representar a harmonia entre os opostos, masculino e feminino. Ou pode considerá-lo um símbolo da ilusão (assim como a carta da lua no tarô).

TRÊS (3) — turquesa

Pedras que vibram com o número 3: âmbar, ametista, aventurina, quiastolita, dolomita, diamante de Herkimer, lápis-lazúli, pirita, rubi

O 3 representa síntese, movimento, o divino, manifestação, trindade, criatividade, alegria, a ponte entre o céu e a terra, expansão, versatilidade, expressividade e sorte. Os pitagóricos acreditam que o 3 — a tríade — é o primeiro número verdadeiro. O oráculo de Apolo repousava sobre um tripé, o número que representa o equilíbrio; o número do conhecimento e da sabedoria. As proporções musicais de 3:2 e 3:1 são intervalos da quinta: a harmonia mais encantadora, depois da própria oitava. Formado pela mônada e a díade, a tríade era sagrada e associada ao deus Saturno, à deusa Hécate e aos deuses Plutão e Tritão, e também às três Moiras, Fúrias e Graças. O número 3 é regido pelo planeta Júpiter e é o número do signo de Sagitário. Numa grade (ver Capítulo Dez), use o 3 para representar uma trindade sagrada de qualquer tipo: Donzela, Mãe e Anciã, por exemplo.

QUATRO (4) — safira, quartzo e a combinação de azurita com malaquita

Pedras que vibram com o número 4: apofilita, heliotrópio, quiastolita, esmeralda, hemimorfita, cianita, chumbo, pedra-da-lua, rodocrosita, rutilo, riólito, prata, sodalita, olho-de-tigre, zircônia.

O 4 é o número que representa a energia da Terra, os quatro elementos clássicos, solidariedade, encruzilhadas, disciplina, desejo, ordem, praticidade, resistência, eficiência, materialidade e instinto. A tétrade dos pitagóricos era a base de todas as coisas, o "número perfeito". Era ordem, simbologia do divino; equilíbrio; o primeiro sólido geométrico; a alma (consistindo em quatro poderes: a mente, a ciência, a opinião e o senso). O 4 era associado aos deuses Mercúrio, Hércules, Vulcano e Baco. (O planeta Urano não era conhecido no tempo de Pitágoras.) Esse é o número do signo de Aquário e o do planeta Urano. Uma grade baseada no 4 representa estabilidade.

CINCO (5) — *água-marinha, platina e prata*

Pedras que vibram com o número 5: amazonita, cornalina, crisocola, peridoto

O 5 representa a humanidade e a vida em si, proteção, amor, reprodução, regeneração, força, inteligência, os cinco sentidos, liberdade, comunicação, esforço, confusão, curiosidade, aventura e experiências sensoriais. Os pitagóricos o chamam de pêntade: a união do par e do ímpar, o símbolo sagrado da luz, a saúde e a vitalidade. Uma divisão perfeita do número perfeito, dez, também contém o quinto elemento, o éter. O 5 é simbólico na natureza (só 5 e 6 multiplicados por si mesmos terminam no seu número original). Somando 4 e 1, os elementos mais a mônada, obtemos 5. O pentagrama é um símbolo sagrado da vida e é associado à deusa Vênus. O planeta Vênus produz um padrão quíntuplo em sua órbita em torno do sol. Encontramos cincos na natureza em todo lugar, até mesmo em nossa forma física. Os planetas associados ao 5 são Vênus e Mercúrio; os signos astrológicos são Gêmeos e Virgem. Use o 5 em grades para obter a forma de um pentágono, um dos mais antigos símbolos mágicos.

SEIS (6) — *opala, cobre*

Pedras que vibram com o número 6: lágrima de apache, heliotrópio, citrino, creedita, jade, labradorita, ônix, topázio

O número 6 é, assim como o 4, um "número perfeito", simbolizando beleza, a união das mentes consciente e inconsciente, equilíbrio, criação, perfeição, totalidade, cura, amor, sabedoria, responsabilidade, libertação, união dos opostos, idealismo, lealdade, harmonia, domesticidade e veracidade. Os pitagóricos o chamavam de héxade, e ele representava a criação do mundo: a perfeição, a união de dois triângulos. O 6 é a soma e o produto dos primeiros três números (1, 2, 3) e os seus fatores também são 1, 2 e 3. É por esse motivo que ele é chamado de número "perfeito". Para os pitagóricos, o 6 simbolizava a harmonia, o casamento e o equilíbrio (e era associado a Orfeu). Estruturas cristalinas como flocos de neve e cristais de quartzo são constituídas com base no número 6; um cubo tem seis lados, assim como favos de mel e hexagramas. Os signos astrológicos associados a ele são Touro e Libra. Os pitagóricos não associavam um planeta/deus ao número 6; no entanto, com base nos signos Touro e Libra, ele corresponde ao planeta Vênus. Grades usando o 6 representam harmonia e perfeição, e também cura e amor.

SETE (7) — *ametista, esmeralda*

Pedras que vibram com o número 7: ágata, fluorita, iolita, pérola, platina, enxofre, estanho, vulfenita

O 7 representa a ordem perfeita, um número sagrado e místico, conhecimento elevado, espiritualidade, magia, sabedoria, lei, inteligência, divindade, mistério e solidão. Na filosofia pitagórica, a héptade era o número da religião e da vida, da sorte, do julgamento, dos sonhos e dos sons. A soma de 3 e 4 (a alma somada ao mundo) resulta na natureza mística do homem, a tríade da alma ou do espírito (espírito, mente e alma). São sete os chakras, são sete as cores visíveis do arco-íris e os dias da semana, no inglês batizados em homenagem aos sete corpos celestes dos tempos antigos. Os pitagóricos associavam o 7 ao deus Marte; esse número também é associado aos deus Osíris e ao planeta Netuno (por conta da sua associação com o signo de Peixes, visto que o planeta Netuno não era conhecido pelos pitagóricos). O 7 é considerado há muito tempo um número misterioso em diversas tradições religiosas. Grades para sabedoria, mistério e espiritualidade são baseadas no número 7.

OITO (8) — *diamante, ônix*

Pedras que vibram com o número 8: calcita, fósseis, azeviche, lepidolita, mica, opala, marcassita, serpentina

O 8 é o número que representa força, energia vital, disciplina, eternidade, autoridade, coragem, regeneração, sorte, justiça, praticidade, poder, salvação ou evolução espiritual, karma, equilíbrio e sucesso material. Os pitagóricos chamavam-no de ogdóade e ele simbolizava o amor, o aconselhamento e o deus Netuno. Ele era associado aos Mistérios de Elêusis. O 8 era considerado especial porque podia ser dividido por 4, depois por 2 e então cada um dos números 2 resultantes voltavam ao número 1. A oitava nota na escala musical é a oitava. O 8 corresponde ao planeta Saturno e ao signo de Capricórnio. Grades usando o 8 representam força e coragem.

NOVE (9) — *rubi*

Pedras que vibram com o número 9: apatita, aragonita, fuchsita, hematita, malaquita, rodonita, unaquita, vanadinita

O 9 representa integridade, mudança, conquista, auge, ordem, ação, poder físico, perdão, compaixão, inspiração, espiritualidade e amor divino. Os pitagóricos o chamavam de enéade; é o primeiro cuja raiz é um número ímpar: 3 x 3. O 9 é o primeiro número que pode ser usado para construir um quadrado mágico. E era considerado o número do homem pelos pitagóricos (o tempo de gestação humana é nove meses). Mas, como o 9 está próximo de atingir o número perfeito, o 10, ele simboliza horizonte e fronteira para os pitagóricos. Ele reúne todos os números em si mesmo. Era associado ao deus Prometeu e à deusa Juno. Seu planeta correspondente é Marte e o signo é Áries. Grades usando o 9 podem representar uma grande variedade de propósitos mágicos.

Muitas magias envolvem o número 9. Se você somar os números de 1 a 9, o resultado é 45, e 4 mais 5 é 9. O 9 é usado na prova dos nove, uma forma de verificar erros nas operações de soma, subtração, multiplicação e divisão. Todos os produtos do 9 podem ser reduzidos a 9. Faça o teste: 3 vezes 9 é igual a 27, e 2 mais 7 é 9. Se multiplicarmos 9 por 9 obteremos 81, e 8 mais 1 é nove. Nove vezes 4 é 36 e 3 mais 6 é 9.

DEZ (10) — não é associado a nenhuma pedra específica

O 10 é a perfeição atingida através da integridade, o retorno à unidade, a transformação, um platô. Chamado de década, é o mais grandioso dos números, a própria natureza dos números; o céu e o mundo; poder, fé, memória; incansável, associado a Atlas e ao sol. Temos dez dedos nos pés e nas mãos; Platão acreditava que o dez continha todos os números. Como esse é o primeiro número com dois dígitos, ele é muitas vezes associado aos opostos e ao equilíbrio.

ZERO (0) — não é associado a nenhuma pedra específica

Alguns podem dizer que o zero não é um número de fato... Ao longo da história, várias culturas se perguntaram como o nada pode ser alguma coisa e se deveriam ou não lhe atribuir valor, e como. O zero representa o universal, tudo. Associado a Plutão, rege Escorpião. E ainda, o zero representa poder. Observação: se você adicionar zeros a um número, ele passa de 10 a 100, a 100.000. Ele também representa a eternidade, o círculo, a serpente mordendo a própria cauda.

Pedras dos signos

A seguir será apresentada uma lista de pedras dos signos, tendo como base os signos do Zodíaco. Essa lista também inclui o(s) planeta(s) regente(s), as cores associadas, o número correspondente a cada signo e o elemento. Consulte o Apêndice para conhecer mais pedras associadas aos planetas.

Se você já estuda astrologia, sabe como um mapa astral pode ser complexo. Se é iniciante, comece estudando o seu signo solar, o seu Ascendente e a sua Lua natal. Você provavelmente já sabe qual é o seu signo solar. Mas o Ascendente pode ser, na verdade, tão significativo quanto o signo solar, se não mais do que ele. O signo em que estava a lua quando você nasceu oferece mais uma gama de características. Pense desta maneira (essa é uma visão muito simplista, mas vai servir): o seu signo solar é o seu eu interior (aquele que as pessoas mais próximas de você conhecem); o seu Ascendente reflete os traços mais evidentes da sua personalidade; e a sua Lua reflete os seus instintos e reações diante do que a vida apresenta. E cada signo é associado a um dos elementos, o que oferece mais formas de se utilizar os vários aspectos da sua personalidade.

Se nasceu numa cúspide (quando o sol está mudando de signo), você pode sentir que tem dois signos solares. Faça um mapa para ter certeza, com base na hora e no lugar exatos em que nasceu; há muitos sites na internet que oferecem ferramentas gratuitas que você pode usar para fazer um mapa astral simples. Você pode perceber a influência de dois signos solares, mas na verdade só pode ter um. A maioria das pessoas de fato apresenta influência de outros signos, especialmente os mais próximos do seu signo solar. Isso pode ser devido à localização de Mercúrio ou Vênus. Por exemplo, eu sou de Libra, com Ascendente também em Libra, mas definitivamente tenho algumas tendências de Virgem. Acontece que Mercúrio estava em Virgem quando eu nasci. Como Mercúrio e Vênus estão tão próximos do sol, é bom conferir onde estão esses planetas no seu mapa astral; conhecer a sua influência pode ser útil.

Então, como você pode ver, há muitas formas de trabalhar com as pedras do seu signo que vão além do seu signo solar. Por exemplo, encontre uma pedra do seu Ascendente se você quer destacar as suas características mais evidentes; use uma pedra do seu signo solar para situações mais pessoais e emocionais. Uma pedra que corresponda à sua Lua seria útil para lidar com problemas externos, que estejam além do seu controle. Uma forma de encontrar uma pedra do signo especialmente poderosa é cruzar as informações das listas para ver se o seu Sol, o seu Ascendente e a sua Lua têm pedras em comum.

Áries: ametista, lágrima de apache, água-marinha, aventurina, heliotrópio, cornalina, citrino, diamante, dolomita, esmeralda, granada, gipsita, hematita, ferro, jade, jaspe, cianita, rubi
   Planeta/Número/Cores/Elemento: Marte, 9, carmesim, azul, branco; Fogo

Touro: ágata, aventurina, turmalina azul, cornalina, crisocola, citrino, cobre, diamante, esmeralda, gipsita, iolita, jade, cianita, malaquita, obsidiana, rodocrosita, rodonita, quartzo rosa, rutilo, estanho, jaspe zebra, zircônia
   Planeta/Número/Cores/Elemento: Vênus, 6, rosa choque, azul, marrom, verde; Terra

Câncer: aventurina, bornita, calcita, cornalina, crisocola, esmeralda, granada grossulária, jade, jaspe, pedra-da-lua, opala, pérola, peridoto, rodocrosita, rubi, prata, sodalita
   Planeta/Número/Cores/Elemento: Lua, 2, branco, verde-claro, amarelo-pálido, prata, violeta, lavanda; Água

Gêmeos: ágata (musgo), âmbar, apatita, apofilita, água-marinha, cornalina, celestita, crisocola, citrino, esmeralda, howlita, jade, magnetita, pérola, rutilo, safira, serpentina, olho-de-tigre, turquesa, turmalina melancia, jaspe zebra

Planeta/Número/Cores/Elemento: Mercúrio, 5, cinza, verde-claro, prata; Ar

Leão: âmbar, turmalina negra, bronzita, cornalina, citrino, diamante, granada, ouro, topázio dourado, gipsita, ferro, jaspe, labradorita, marcassita, ônix, peridoto, madeira petrificada, platina, pirita, rodocrosita, rubi, enxofre, olho-de-tigre, zircônia
Planeta/Número/Cores/Elemento: Sol, 1, amarelo, laranja, roxo; Fogo

Virgem: ágata (musgo), amazonita, ametista, azurita, cornalina, crisocola, citrino, creedita, fóssil, granada, hematita, jade, jaspe, lápis-lazúli, magnetita, opala, peridoto, rubi, safira, sodalita, olho-de-tigre, vanadinita, turmalina melancia, zircônia
Planeta/Número/Cores/Elemento: Mercúrio, 5, cinza, prata, verde-escuro, branco; Terra

Libra: apofilita, água-marinha, heliotrópio, cornalina, quiastolita, crisocola, citrino, diamante, granada, hemimorfita, iolita, jade, cianita, lepidolita, malaquita, pedra-da-lua, obsidiana, opala, quartzo rosa, safira, safira estrela, quartzo esfumaçado, estanho, turmalina, turquesa
Planeta/Número/Cores/Elemento: Vênus, 6, rosa-choque, cores pastéis, azul-claro; Ar

Escorpião: ágata, amazonita, fluorita, granada, hematita, jade, labradorita, malaquita, pedra-da-lua, obsidiana, opala, peridoto, rodocrosita, rubi, topázio, turquesa, unaquita
Planeta/Número/Cores/Elemento: Plutão, Marte, 0, preto, vermelho sangue, vinho, castanho; Água

Sagitário: ametista, apatita, aventurina, azurita, safira negra, zircônia azul, cobre, diamante de Herkimer, iolita, labradorita, lápis-lazúli, pedra-da-lua, obsidiana, opala, peridoto, riólito, quartzo rosa, rubi, safira, quartzo esfumaçado, obsidiana nevada, sodalita, safira estrela, estanho, topázio, turmalina, turquesa, vulfenita

    Planeta/Número/Cores/Elemento: Júpiter, 3, cores outonais, turquesa, roxo; Fogo

Capricórnio: ágata, ametista, aragonita, turmalina negra, citrino, diamante, fluorita, galena, granada, jaspe, azeviche, malaquita, obsidiana, ônix, safira, quartzo esfumaçado, safira estrela, olho-de-tigre

    Planeta/Número/Cores/Elemento: Saturno, 8, índigo, azul-marinho, marrom, verde-escuro; Terra

Aquário: amazonita, âmbar, ametista, água-marinha, barita, topázio azul, turmalina azul, diamante, fluorita, fuchsita, granada, hematita, jade, labradorita, malaquita, mica, pedra-da-lua, ônix, opala, prata, olho-de-tigre (azul), turquesa

    Planeta/Número/Cores/Elemento: Urano, Saturno, 4, azul intenso, prata, cinza, verde; Ar

Peixes: ágata (rendada azul), ametista, água-marinha, heliotrópio, cornalina, citrino, diamante, fluorita, granada, jade, opala, quartzo rosa, safira, turquesa

    Planeta/Número/Cores/Elemento: Netuno, Júpiter, 7, verde-esmeralda, amarelo intenso, rosa, branco; Água

Pedras signos tradicionais

Esta é a lista de pedras natais tradicionais mais usadas atualmente. Ela evoluiu ao longo dos anos e alguns afirmam que se originou no Peitoral bíblico do Sumo Sacerdote de Israel. Na Era Moderna, joalheiros e negociantes de pedras fizeram adaptações nessa lista.

    Janeiro: granada
    Fevereiro: ametista
    Março: água-marinha

Abril: diamante
Maio: esmeralda
Junho: pérola
Julho: rubi
Agosto: peridoto/olivina
Setembro: safira
Outubro: opala
Novembro: citrino ou topázio dourado
Dezembro: turquesa ou zircônia azul

Como usar os seus números em encantamentos e rituais

Depois que você descobrir, com base nos números, que pedras combinam com você, saiba que há infinitas maneiras de usá-las. Consultando os mapas, você pode basicamente reduzir qualquer palavra ou número grande a um único dígito e encontrar uma pedra correspondente. É claro que você só não pode exagerar, deixando que a sua vida seja regida pelos números. Tenha moderação e divirta-se, não fique obcecado pelos números. Essa é simplesmente mais uma forma de buscar um equilíbrio harmonioso na sua vida mágica, e não regras pelas quais pautar a sua vida. Todo tipo de "coincidência" numérica ocorre no cosmos. Livros inteiros tratam desse assunto, oferecendo infinitas formas de especular sobre mensagens cósmicas, padrões e significados. Independentemente de como interpretar os números, há muita harmonia a se descobrir.

Magias simples

Temos aqui algumas formas rápidas e fáceis de usar a numerologia e as pedras:

Pedra do dia

Reduza a data atual à sua menor parte. Por exemplo: 1º de março, 2014.

1 + 3 + 2 + 0 + 1 + 4 = 11 = 2

Confira a lista de correspondência do número 2. Use a pedra como joia ou carregue-a ao longo do dia.

Pedra do nascimento

Reduza a sua idade ao seu menor número e selecione uma pedra. Dedique a pedra do seu aniversário e use ou carregue-a por um ano inteiro.

Pedra do ano

Reduza o ano atual à sua menor parte (por exemplo, 2013 = 6). Dedique a pedra no primeiro dia do ano e carregue-a o ano todo.

Pedras do relacionamento

Encontre pedras para você e o seu parceiro, amigo ou familiar — até mesmo um animal de estimação. Use datas de nascimento ou nomes. Use essas pedras em encantamentos e rituais.

Pedra do endereço

Reduza o número da sua casa e selecione uma pedra ou mais. Você pode incluir o nome da rua, se quiser, ou usar apenas o número. Use essas pedras para encantamentos de proteção ou rituais de bênção do lar.

Magia para encontrar emprego

Se estiver buscando emprego ou tiver a perspectiva de uma entrevista, use esta magia para aumentar as suas chances. Há duas versões dela: uma para a lua minguante e outra para a lua crescente, já que não escolhemos quando uma oportunidade se apresenta. Confira em que signo a lua está para se assegurar de que sua fase condiz com o tipo de magia. Talvez você queira esperar alguns dias para que a lua entre num signo melhor.

- Descubra o número do seu nascimento. Usando os números do seu nascimento e o seu signo solar, se quiser, escolha uma pedra apropriada para representar você (ou a pessoa para quem você está realizando esta magia, depois de obter o consentimento dessa pessoa).
- Uma vela branca (para todos os propósitos) ou uma vela amarela ou laranja (sucesso).
- Um pedaço de cadarço-do-diabo (espécie de viburno, da família da madressilva) ou um pedaço de raiz em forma de barbante se não encontrar a planta.
- Uma pedra de vulfenita (opcional, para aumentar a força da magia).
- Uma ponta de quartzo de dupla terminação com inclusões de turmalina (opcional, para ajudar no fluxo de energia e para afastar a negatividade, criando uma "atmosfera de resolução").
- Um fio de cabelo da pessoa que está em busca de emprego ou um pedaço de unha pode ser colocado sob o suporte da vela, se desejar. Você também pode colocar o anúncio do emprego ali ou o logo da empresa impresso.

Posicione as pedras e o cadarço-do-diabo em volta das velas. Visualize o desfecho que você deseja para a situação, acenda a vela e entoe o cântico.

Na lua minguante:

Terra para nutrir e para crescer,
O Fogo transforma e faz renascer.
Problemas do passado resolvidos,
Um novo começo, desafios vencidos.

Na lua crescente:

Elementos da Terra e do Fogo
Um bom emprego é o que eu (ou nome da outra pessoa) desejo(a).
Que uma base forte se estabeleça.
E esta nova oportunidade apareça.

Depois de uma entrevista:

Elementos da Terra e do Fogo
Este novo emprego é o que eu (ou nome da outra pessoa) desejo(a).
Que uma base forte se estabeleça.
E a oportunidade me favoreça.

Depois que a vela queimar totalmente, mantenha os objetos no altar até que você ou a pessoa em questão tenha notícias do emprego. Você pode combinar esses encantamentos, se quiser, realizando cada um deles na fase da lua apropriada.

Magia para obter um resultado favorável

Este é um encantamento genérico que você pode usar para praticamente qualquer coisa que precisar. O segredo é usar pedras escolhidas com base na numerologia. Aqui vai um exemplo: digamos que você esteja fazendo orçamentos para realizar uma reforma em sua casa. Reduza o número do endereço da sua casa, encontre a pedra correspondente e coloque a pedra no local (ou o mais perto possível) em que a magia é necessária.

Você também pode usar a sua pedra pessoal de poder para fazer esta magia. Você decide como usar a pedra: pode usá-la como joia, carregá-la com você, usá-la numa magia com velas etc. Segure a pedra enquanto visualiza o desfecho que você deseja e entoe:

Pedra em minha mão
Traga-me sorte nesta decisão
Peço que ouça o meu clamor
Propicie um desfecho a meu favor!

Diga qual é a sua meta. Solte a pedra.

Dez

Encantamentos com grades de cristais: magia avançada com cristais

Introdução

Um dos conceitos mais básicos da magia com cristais que você deve aprender é que os números são a base de tudo. Como você leu no capítulo anterior, os números conferem harmonia, algo que os místicos e sábios dos tempos antigos viram e exploraram na sua busca por compreender o funcionamento do mundo. A estrutura dos cristais baseia-se em padrões e números; os encantamentos baseados em grades de pedras usam esses números para um propósito específico, além de muitas outras correspondências com base em números e formas geométricas.

Geometria significa "medida da terra", e foi uma das primeiras áreas da matemática a ser estudada. Esse conhecimento sempre foi necessário para construções, medição de terrenos e outras questões básicas da vida civilizada. Os estudos na área da geometria começaram com formas simples, como o quadrado, o retângulo, o círculo e o triângulo.

A geometria sagrada é uma área de estudo baseada no reconhecimento e na atenção a certos padrões usados pelos seres humanos por séculos e que parecem se repetir reiteradamente nas ações do nosso dia a dia, na natureza e no universo. Esses padrões revelam que estamos interconectados com todas as coisas e nos permitem um vislumbre dos sistemas ocultos. Nós somos parte de uma estrutura harmônica grandiosa: a mente, nosso corpo e nosso cosmos. Esses padrões são como um mapa do sagrado dentro do científico. Alguns dizem que eles são a chave para compreendermos a própria vida. Se não a chave, pelo menos uma porta.

Boa parte da magia com cristais é baseada na ordem e na simetria, na geometria e nos números. Por exemplo, você talvez conheça a Proporção Áurea (ou Número de Ouro) e a Sequência de Fibonacci. As formas têm suma importância, especialmente quando trabalhamos com grades, já que elas se comunicam conosco no nível universal: são a geometria descoberta na natureza, no que criamos e em nós mesmos. Grades de cristais são uma forma de magia que envolve o posicionamento das pedras num padrão específico com base numa variedade de correspondências que podem incluir números, propriedades metafísicas e científicas da pedra, simbolismo da forma e assim por diante.

Muitas grades deste capítulo usam pontas de quartzo transparentes como pedras lapidares. Isso ocorre por causa da sua estrutura especial e o seu papel na magia. Não se preocupe caso as suas pontas de quartzo não sejam perfeitas, elas não precisam ser. A função delas é direcionar a energia enquanto você se concentra no seu objetivo e constrói a grade. Em geral, procure usar na sua grade pontas de quartzo que tenham um tamanho parecido. Isso ajuda a preservar o equilíbrio e a simetria do desenho. Além disso, você pode acrescentar pontas de quartzo com propriedades especiais (ver Capítulo Sete).

O posicionamento das pedras serve a um propósito: propiciar a reflexão, auxiliar a sua mente a atingir um estado meditativo e relaxado e o ajudar a focar o objetivo da sua magia. Essa é a razão por que muitas vezes o posicionamento de cada pedra é feito com o acompanhamento de cânticos. O formato, as pedras usadas, as palavras, o posicionamento das pedras, a combinação de tudo isso ajuda você a focar o seu objetivo.

A base da sua grade é importante, especialmente se você quer mantê-la por um longo período de tempo. De preferência, use uma mesa ou altar; certifique-se de que a sua base é sólida. Se quiser, você pode usar uma tábua, um pedaço de cartolina ou uma bandeja, caso precise mover a grade. Pratos grandes ou travessas de cozinha também podem servir, assim como espelhos (você talvez prefira cobrir a superfície do espelho com um véu ou tecido translúcido, para não correr o risco de riscar o espelho). É claro, o tamanho das pedras que você usar vai determinar a sua base. Não se esqueça de que você pode até mesmo construir grades grandes ao ar livre e realizar rituais dentro dela.

Diagramas ou modelos são de grande ajuda nesses encantamentos, para auxiliá-lo a obter a forma desejada. Em muitos casos, você pode simplesmente posicionar as pedras no padrão apropriado. Fique à vontade para dispor as pedras sobre um modelo. Você pode usar papel ou areia (seca ou úmida) para fazer o modelo, antes de posicionar as pedras. A Magia da Flor da Vida é apenas uma das que requerem um diagrama impresso.

Uma explicação sobre os sistemas cristalinos pode ser encontrada no Apêndice.

Grade para quitação de dívidas

Use este encantamento quando quiser pagar uma dívida ou tentar resolver um problema financeiro complicado. Às vezes, a solução pode ser obter uma taxa de juros mais baixa para quitar a dívida ou fazer um novo financiamento. Esta magia pretende ajudá-lo a abrir caminho para encontrar a melhor estratégia para você. Tome providências a fim de alcançar o seu objetivo e ao mesmo tempo visualize este encantamento ajudando-o a atingir a sua meta.

Realize este encantamento durante uma lua minguante, quando ela estiver no signo de Touro (estabilidade, questões financeiras), Capricórnio (negócios, dinheiro, obrigações, estabilidade) ou Virgem (praticidade e sucesso), se possível.

Pedras: aragonita, quartzo citrino, fuchsita, granada grossulária, howlita, iolita, malaquita, madeira petrificada, quartzo com turmalina e vanadinita. Palavras específicas devem ser entoadas quando se posicionar cada pedra.

Decore o seu altar com um tecido preto e sobre ele coloque uma cópia de um boleto ou de uma conta. Você construirá a sua grade sobre o papel. Comece pelo canto superior esquerdo. Enquanto posiciona cada pedra sobre o papel, visualize-se quitando a dívida, diminuindo-a, eliminando-a. Entoe a frase de cada pedra enquanto a coloca sobre o papel, em movimento anti-horário, posicionando-as na forma de um quadrado, conforme a figura abaixo: quatro pedras âncora, uma em cada canto do quadrado, totalizando três pedras em cima e três pedras embaixo, mais duas em cada lateral. Depois que todas as pedras estiverem no lugar, recite o cântico final.

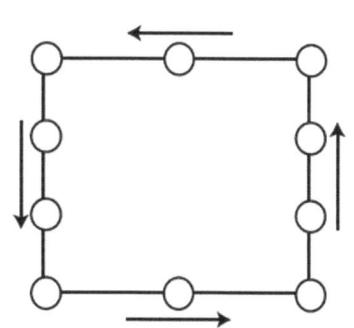

Grade para quitação de dívidas

Cânticos:

- Quartzo com turmalina: *crie a atmosfera para solucionar este problema*
- Howlita: *abra os canais de comunicação necessários e direcione meus atos para essa meta*
- Malaquita: *abra caminho para a solução*
- Aragonita: *ajude-me a aceitar a responsabilidade sobre a minha dívida*
- Fuchsita: *ajude-me a recuperar minha estabilidade financeira*
- Citrino: *garanta-me sucesso financeiro*
- Vanadinita: *traga ordem a esse processo*
- Madeira petrificada: *ajude-me a obter apoio neste momento de necessidade*
- Granada grossulária: *garanta-me sucesso nesta questão*
- Iolita: *ajude-me a quitar esta dívida*

As pedras vão até dez
Eu vencerei meu revés.
Sem prejudicar ninguém,
Quitarei até o último vintém.
Aprendi com a situação
E mereço uma atenuação.

Use o método que quiser para elevar a energia. Você pode acender uma vela preta no meio da sua grade de pedras. Deixe essa grade montada até o início da lua crescente. Repita, conforme desejar, a cada lua minguante, no signo da lua apropriado.

Observação: se você tiver uma joia com uma (ou mais) pedras da lista, fique à vontade para incorporá-la a esta magia (colocando-a sobre uma das pedras) e depois usá-la. Visualize essa peça sendo dedicada à sua meta e carregando a energia do encantamento com você. Um anel ou uma pulseira são ideais, pois serão um lembrete frequente e visível do seu objetivo.

Grade para a paz e a tranquilidade

Você já esteve numa situação fora de controle, em que outras pessoas estavam afetando o seu bem-estar, perturbando a sua paz, sem que você pudesse fazer nada a respeito? Não podemos controlar os outros, mas podemos influenciar o nosso ambiente para que ele tenha uma atmosfera mais favorável. Às vezes, as pessoas são rudes e nem percebem. E às vezes simplesmente estamos presos num ambiente que não controlamos. Se for esta a questão, podemos apenas torcer para influenciar as coisas positivamente. Este é um encantamento de comunicação, regido pelo elemento Ar, então usaremos o símbolo do Ar.

Pedras:
Você precisará de pontas de quartzo transparentes em número suficiente para formar um triângulo.

Além disso, precisará das seguintes pedras:

- Amazonita (combate a irritação) em cima.
- Bronzita (para promover a cortesia) embaixo, à esquerda.
- Fóssil (para um ambiente mais positivo) embaixo, à direita.
- Opcional: hemimorfita (para diminuir a hostilidade).

Posicione as pedras num triângulo, como indicado na figura. Na alquimia, o elemento Ar é simbolizado por um triângulo com a ponta voltada para cima, cortado por um traço na parte superior. Se você tiver pontas de quartzo suficientes, posicione-as nessa área, para formar o traço. Veja na figura abaixo como posicionar as pedras. Se estiver usando a hemimorfita, posicione-a no espaço livre no topo do triângulo.

Comece pelo canto inferior direito e posicione as pedras no sentido horário. Posicione a hemimorfita por último. Visualize o fluxo de energia passando pelas pontas e pedras e projetando-se no seu ambiente. Imagine o ar fluindo e agitando-se à sua volta, criando uma atmosfera pacífica em torno de você.

Depois que todas as pedras estiverem no lugar, entoe o cântico:

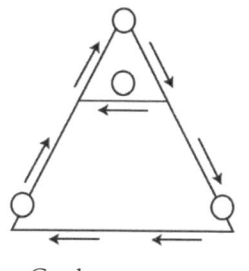

Paz é tudo que quero neste ambiente.
Peço que a serenidade agora prevaleça,
Que nenhum distúrbio me afugente
E a energia positiva se fortaleça.

Grade para a paz e a tranquilidade

Variação: grade de banimento

Se a situação for além de um simples incômodo, faça uma pequena mudança na sua grade. Comece no canto inferior esquerdo do triângulo e prossiga no sentido anti-horário.

Pedras:
- Hematita (para reverter a negatividade).
- Bornita (proteção e felicidade).
- Turmalina negra (proteção contra energia negativa).

Posicione-as da maneira que preferir para formar o triângulo e entoe:

Deste incômodo não estou mais a fim.
Mande-o para bem longe de mim.
Desta situação já me cansei.
Sua presença não mais suportarei.
Pelo bem geral lanço esta magia:
Que se faça a paz a partir deste dia!

Grade para a prosperidade

Para a prosperidade, usamos um quadrado simples, representando ordem, equilíbrio, estabilidade, a terra e os quatro elementos, crescimento, saúde, abundância e perfeição. Realize esta magia na lua crescente ou cheia, quando ela estiver nos signos de Touro, Câncer ou Capricórnio, se possível.

Pedras:
- Oito pontas de quartzo transparentes
- Quatro outras pedras. Qualquer combinação de pirita, aventurina, olho-de-tigre ou ágata. (As três primeiras são as melhores opções.) Você pode usar quatro pedras iguais, se quiser. A pirita é associada à praticidade e à positividade; o olho-de-tigre é tradicionalmente associado à prosperidade e ao dinheiro, assim como ao otimismo; a aventurina propicia a prosperidade e, no jogo, segundo a tradição, traz sorte. Também ajuda a aliviar o estresse.

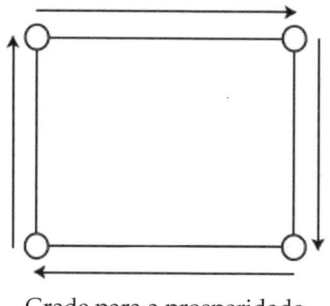

Grade para a prosperidade

Dependendo do tamanho das suas pedras, você pode ter que formar um quadrado maior ou menor. Simplesmente faça um quadrado de acordo com o tamanho das suas pedras e sobre a superfície que preferir. Mantenha a grade montada por um ciclo lunar completo, ou por mais tempo, se quiser. Ou, se você usar uma vela no seu encantamento, pode desfazer a grade depois que ela queimar totalmente. Se você acrescentar à grade magia com velas por conta própria, realize-a primeiro, então construa a grade em torno das velas.

Antes de posicionar as pedras, visualize esse quadrado como um símbolo da sua realização financeira. Ele será construído para proteger os seus bens e ajudá-los a crescer e permanecer estáveis. No centro do quadrado, use um símbolo ou escreva o que você necessita (no papel ou numa folha separada). Você pode usar uma vela com um cifrão entalhado nela, pode escrever "pago" numa conta e colocá-la no centro ou simplesmente escrever "prosperidade" no centro do quadrado.

Em seguida, você construirá as bordas do quadrado. Comece com uma das outras pedras no canto superior esquerdo. As pontas de quartzo serão colocadas entre as pedras dos cantos, com as pontas apontando na direção do movimento (direita para cima, então para baixo, para a esquerda, para cima). Siga pelo quadrado, em sentido horário, posicionando uma das outras pedras em cada canto e então duas pontas de quartzo. Enquanto posiciona cada pedra, entoe:

Prosperidade, abundância para mim.

Quando terminar, diga duas vezes:

Fogo, Água, Terra e Ar,
Façam minha riqueza se multiplicar.

Grade para a fertilidade

Este encantamento serve para qualquer coisa que você precisa que "se desenvolva". Pode ser para a fertilidade de fato, sua ou de outra pessoa, ou para ajudar um projeto a crescer. Esta grade usa os símbolos do elemento Terra e um círculo para representar o ventre. Desenhe ou esboce esse símbolo numa folha de papel ou na areia.

Pedras:

- Cobre, associado a Vênus, acrescenta uma representação do elemento Água.
- Gipsita, para a fertilidade (use a selenita rosa-do-deserto).
- Aventurina, para equilíbrio, sorte e oportunidade.
- Peridoto, Vênus, elemento Terra, regula ciclos.

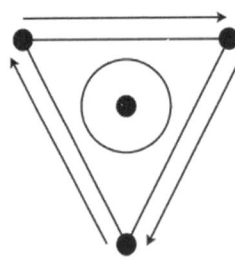

Grade para a fertilidade

Posicione a rosa-do-deserto no centro do círculo e as outras três pedras nas pontas. Comece pelo canto superior esquerdo e siga no sentido horário. Depois de montar a grade, entoe:

Que a semente plantada no útero,
Tenha raízes fortes e firmes.
Que ela cresça e prospere
E meu desejo se reafirme.

Se esse cântico remeter ao nascimento de uma criança e não for isso o que você deseja, há uma alternativa:

Que a semente possa encontrar solo fértil
Lance raízes e dali cresça perfeita.
Que o meu projeto também ganhe espaço
E como a semente garanta farta colheita.

Magia da Flor da Vida

Este encantamento não tem relação alguma com flores; ele é baseado num símbolo antigo chamado Flor da Vida, importante para a geometria sagrada por vários motivos. Nele identificou-se uma representação dos tons e semitons da teoria musical, o padrão da divisão celular e um padrão de seis "pétalas" ou "pontas de estrela" em torno de um centro (sendo o 6 em torno do 1 um tema comum na formação de mitos em muitas culturas). Alguns afirmam que esse símbolo representa a origem da vida. Uma das ocorrências mais antigas desse símbolo foi encontrada no Templo de Osíris em Abidos, no Egito, e imagens ainda mais antigas são atualmente investigadas.

Muitas formas diferentes podem ser encontradas na Flor da Vida: a Semente da Vida, o Fruto da Vida, a Árvore da Vida, várias intersecções de círculos e outras formas usadas na prática da magia. Seja qual for o significado que você dê ao símbolo, uma coisa é certa: ele é muito antigo e parece estar presente em diversas culturas. Sua simetria e sua harmonia não podem ser negadas.

No nosso contexto, esse símbolo funciona como base para uma magia ou ritual de esclarecimento espiritual. Busque a ligação de todas as coisas e o seu lugar no universo, o mistério da própria vida. Independentemente de como escolher usá-lo, esse símbolo pode abrir uma porta. Você pode utilizar a imagem aqui impressa ou desenhar o seu próprio símbolo usando um compasso. Ele é apenas uma série de círculos que vão aumentando em complexidade, ainda que continuemos a ver a simplicidade ali. Esse encantamento representa o equilíbrio em todas as formas de vida.

A imagem completa consiste em dezenove círculos completos. O centro de cada círculo será o ponto em que uma pedra deve ser posicionada. Isso criará um padrão geométrico com dezoito pedras em volta de uma pedra central, num total de dezenove cristais. Os números 18 e 19 são associados ao sol e à lua. Eclipses solares e lunares se repetem a cada dezoito anos, certas datas do calendário da lua cheia se repetem a cada dezenove anos. Também é interessante notar que há dezenove pedras na estrutura interna de Stonehenge. No tarô, a décima oitava carta do Arcano Maior é a Lua, e a décima nona é o Sol. Você precisará de dezenove pedras pequenas, polidas ou naturais. Há várias combinações de pedras que você pode usar.

Pedras:

- Para o centro, uma pedra de pirita pode ser usada para representar o sol, o fogo ou a centelha da vida. Você também pode usar ouro, diamante ou uma pedra do sol. Uma ponta de quartzo extraordinariamente transparente, como o diamante de Herkimer, também seria uma boa opção.
- 6 pedras-da-lua, para o círculo interno de seis pontas.
- 12 quartzos transparentes ou leitosos (ou uma combinação dos dois tipos), para o círculo externo de doze pontas.

Você pode usar uma pedra diferente para cada círculo, dependendo da sua coleção. Começar pela pirita é uma boa ideia, depois utilize a pedra-da-lua e em seguida o quartzo. Esta é a representação da centelha da vida que vem do sol, então da lua, então da terra. Uma alternativa, caso você não possua essas pedras, é utilizar o que na sua coleção melhor representar o sol, a lua e a terra. É claro, você pode usar isso como modelo para ter suas próprias ideias. Lembre-se, isso é apenas um guia para você começar. É possível fazer essa magia individualmente ou em grupo, mas nesse caso terão que se revezar para posicionar as pedras.

Independentemente do método que usar, o importante é estar focado. Comece pelo centro e então acrescente as pedras, indo do centro para fora. Você pode sentir o impulso de seguir no sentido horário.

Pense nas conexões que tornam a vida possível para nós: precisamos do sol e da lua. Pense nelas equilibrando a nossa vida terrena. Precisamos do sol para viver e a lua também é importante (há uma teoria segundo a qual a lua, quando se formou, atingiu o nosso planeta, causando a inclinação que deu origem a importantes ciclos naturais).

Ela regula as marés e é a base de muitos dos nossos ciclos mensais e medidas. Além de simbolizar o mistério, a intuição e os sonhos. Nós precisamos do equilíbrio do dia e da noite, do yin e yang. Pense nos primórdios da vida. Imagine o universo e os seus mistérios. Faça as reflexões mais profundas que puder sobre origens e conexões, aqui na Terra, no universo e espiritualmente. Este encantamento nos estimula a pensar em nossa vida e em nossas ações. Dê um significado a essa magia, seja da maneira que for.

Entoe este cântico ao posicionar cada pedra:

Centro:

Exalte os primórdios, a origem que compartilhamos,
Exalte a vida; de tudo que existe, nós cuidamos.

Círculo de Seis, em Sentido Horário:

Mistérios da vida não revelados,
Mitos e histórias nunca contados.

Círculos, ciclos, tudo se conecta,
Toda a vida respeito em mim desperta

Ilumine-me o desconhecido,
Lua e sol, da sua luz eu preciso.

Agradeço por tudo que eu vivo,
Quero estar em sintonia com o espírito

Se existe equilíbrio, que esta flor
Seja um lembrete do meu/nosso poder.

Na minha/nossa(s) vida(s), deixe-me(nos)
Amor

Círculo Externo de Doze:

Assim em cima, como embaixo,
Agora a luz em mim se reproduz!

Flor da Vida

Grade do pentáculo

Grade do pentáculo

Se você tiver espaço, pode tentar fazer este desenho em vez de abrir um círculo mágico, durante uma magia ou ritual. O pentagrama é um símbolo mágico poderoso e, por estar associado ao número 5, tem um significado cósmico ainda mais profundo. Você também pode usar a grade para fazer magia de proteção: coloque no centro da grade uma foto da pessoa que precisa de proteção.

Pedras:
- Dez pontas de quartzo transparentes. Você pode montar uma grade suficientemente grande para que fique de pé no centro ou fazê-la numa escala menor, para caber no seu altar (você pode usar um prato ou bandeja, se quiser).
- Sal.

Desenhe o pentagrama com sal. Nas cinco pontas externas, posicione os cristais, voltados para fora. Nas cinco pontas internas, posicione os cristais voltados para dentro. Depois que as pedras estiverem no lugar, use a técnica de visualização que preferir e entao:

Pontas para dentro, pontas para fora
Cinco mais cinco, são dez cristais agora.
Energia, flua depressa
Enquanto esta magia você atravessa.

Use também este cântico se o propósito da magia for proteção:

Sal e pedra agora tenho ao redor,
Que a minha proteção seja maior!

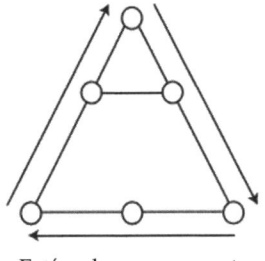

Magia para estimular a mente

Estímulo para a mente

Use este encantamento para favorecer os estudos, a criatividade ou seu raciocínio e foco. Ela utiliza o símbolo do elemento Ar e o número 6 para conferir equilíbrio. Desenhe ou trace a grade numa folha de papel ou na areia. Usando as pedras, comece pelo canto inferior direito e siga em sentido horário, posicionando as pedras nos locais indicados. A ordem delas não importa.

Pedras:

- Hematita: a "pedra da mente".
- Fluorita: transparente ou uma combinação de cores — a "pedra do gênio".
- Calcita: estimula a memória; boa para os estudos.
- Cianita: estimula a criatividade.
- Vanadinita: conecta os pensamentos à inteligência.
- Olho-de-tigre: foco e compreensão.

Depois que as pedras estiverem posicionadas, use a técnica de visualização de sua preferência e entoe:

Que o ar mova a mente
Leve-me numa crescente
O que eu preciso para vencer
Me ajude a alcançar e ver.

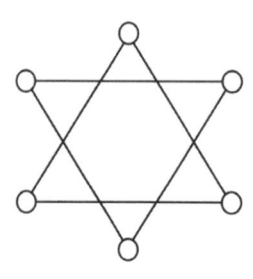

Grade do sexto sentido

A estrela de seis pontas também é usada nesta magia. Neste caso, utilize a grade para estimular o seu sexto sentido, a consciência psíquica.

Estrela de seis pontas

Pedras:

Desenhe ou trace a estrela no papel ou na areia; escolha uma pedra para cada sentido e a posicione na grade nas direções indicadas, de acordo com as correspondências entre os sentidos e os chakras:

- Olfato: heliotrópio, hematita, cornalina, jaspe vermelho (ponta inferior).
- Paladar: quartzo rutilado, olho-de-tigre (inferior esquerdo).
- Visão: citrino, âmbar (inferior direito).

- Tato: aventurina, quartzo rosa, turmalina melancia (superior esquerdo.)
- Audição: água-marinha, lápis-lazúli, turquesa, celestita (superior direito).
- Sexto sentido/Terceiro Olho: ametista, fluorita roxa, azurita (topo).
- Opcional: quartzo transparente ou diamante de Herkimer no centro.

Visualize as pedras representando os seus sentidos. Imagine cada uma delas. De que aromas você mais gosta? Quais são seus sabores, sons e imagens preferidos? O que você acha agradável tocar? Familiarize-se com a sua intuição. Imagine-se consciente desse sentido e em contato com ele. Veja a si mesmo equilibrado como essa estrela, completo e íntegro, esse sexto sentido sendo parte da sua vida, conduzindo você. Quando estiver pronto, entoe o cântico indicado. Se ajudar, segure uma das pedras do sexto sentido na mão enquanto medita.

Olfato, visão, audição e paladar.
Tocando objetos em todo lugar.
Percepção, intuição, todos os sentidos,
Agora em comunhão.

Grades alquímicas

A alquimia era em parte ciência, em parte mito e em parte prática espiritual, um conjunto complexo de filosofias que evoluíram e mudaram ao longo do tempo e de acordo com o lugar. Uma tradição da alquimia envolvia a busca de uma substância misteriosa chamada "pedra filosofal", uma panaceia que transformaria elementos "imperfeitos" em elementos nobres como a prata e o ouro, curaria o corpo e purificaria a alma. Os alquimistas a viam como um processo natural que só precisava ser descoberto e identificado. A transformação podia ser vista em processo, no mundo natural o tempo todo: minerais na terra, como a lama e as rochas, se tornavam frutas nas trepadeiras e nas árvores, por exemplo. E no nosso corpo, transformamos os alimentos nas substâncias químicas de que precisamos para viver. *Transmutação* é a palavra que usamos para descrever a mudança de uma forma de matéria para outra. Essa mudança pode ser tanto física quanto espiritual, e é por isso que a alquimia pode ser considerada tanto científica quanto alegórica. Para a prática da magia, usamos a metáfora da mudança que a alquimia inspirou. Buscamos criar a mudança em nós mesmos e no nosso universo.

Os gregos antigos professavam que o universo inteiro era formado pelo que chamamos de quatro elementos clássicos (Água, Terra, Fogo e Ar), substâncias (na alquimia ocidental) que representam as propriedades quente, molhado, seco e frio, as características (e não as substâncias literalmente) das quais toda a matéria é feita. A Terra era a mais pesada e localizada no centro; depois vinha a Água; em seguida o Ar; e por fim o Fogo, o mais puro e leve dos elementos, o mais próximo do divino. Esse era o estado ideal e a ordem das coisas. O sol (ouro) era a forma mais pura. Aristóteles se referia ao quinto elemento (o éter) como a "quintessência". Ele podia ser encontrado no céu e entre as estrelas, que eram mais puras que as substâncias terrestres. Os alquimistas buscavam trazer esse quinto elemento para a Terra através da transmutação.

Os temas das próximas quatro grades originaram-se de metáforas, elementos e símbolos alquímicos.

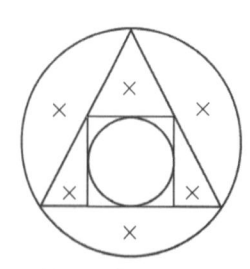

Enquadramento do círculo

Enquadramento do círculo

À esquerda, você vê a imagem de um símbolo alquímico do século XVII, representando a pedra filosofal.

O corpo humano é muitas vezes comparado ao mundo e ao universo mais amplos: "assim em cima como embaixo", segundo o axioma. O psicanalista Carl Jung compara a ideia ocidental da pedra filosofal à experiência de autorrealização, ou individuação. A transformação pessoal profunda, assim como a conversão de substâncias, leva tempo. Por isso, na magia, nós usamos as pedras que demonstram essa mudança.

Ao longo da História, usou-se um círculo ou esfera para simbolizar os céus, e um quadrado ou cubo para representar a Terra. A união dos dois é uma forma de unir, de maneira simbólica, o céu e a Terra, ou o espírito e a matéria.

O conceito de "enquadrar o círculo" é uma fórmula matemática supostamente impossível, para criar um quadrado com a mesma área de um círculo (usando apenas um compasso e uma régua). Alguns estudiosos do passado chegaram perto de descobrir a fórmula (Arquimedes, para citar apenas um), mas a solução permanece imperfeita devido à natureza transcendental do número pi. Também foi usada para simbolizar a elusiva pedra filosofal. Podemos utilizar esse símbolo como metáfora num encantamento para lidar com um problema aparentemente impossível.

O círculo também é frequentemente usado para representar o eu (a psique). Além disso, círculos também simbolizam o mundo e o cosmos na sua totalidade (continuidade e conexão). Nesse caso, o círculo interno é o eu e o externo é o cosmos. Em volta do círculo interno temos primeiro um quadrado, então um triângulo. O quadrado pode ser usado para representar a Terra física, a realidade. Na alquimia, o triângulo é o símbolo do elemento Fogo. O triângulo também representa a trindade mente, corpo, espírito. Podemos então utilizar esse símbolo para representar o eu, na Terra, com o fogo da criatividade e a trindade, fazendo contato com o universo. Assim você deve lidar com um desafio. Encontre uma maneira prática de lidar com ele, então busque uma resposta criativa e a envie para o cosmos. Desenhe a forma no papel ou na areia.

Pedras:

Posicione uma pedra (ou outro objeto que represente você ou o problema) no centro do círculo. As pedras recomendadas para o centro são o diamante de Herkimer, a ametista ou a sua pedra pessoal de poder.

Nas três pontas do triângulo, use três pontas de quartzo transparentes, apontando para fora.

Nos espaços marcados com um X, use seis pedras da lista:
- Quartzo turmalinado: soluciona problemas.
- Creedita: remove obstáculos, aumenta a clareza espiritual.
- Apatita: intuição e clareza.
- Hematita: processo mental.
- Heliotrópio: ajuda a tomar decisões.
- Fluorita amarela: ordem, intelecto e criatividade.
- Ônix: centramento, instinto, tomada de decisões.
- Riólito: resolução.

Depois que todas as pedras estiverem no lugar, medite a respeito do problema. Deixe que a sua mente se expanda.

Cântico:

A chave está perdida, paradoxo, um enigma sem solução.
Encontre a chave, o mistério. Dissipe a incompreensão.
Questões exigem respostas expressas.
Um quebra-cabeça em que ainda faltam peças.
Ideias se escondem por trás da ilusão.
Me ajudem a chegar a uma resolução.

Tornando-se "ouro", seu melhor eu

Assim como o Enquadramento do Círculo, este encantamento usa a analogia da alquimia como metáfora para o aprimoramento do eu. Não importa quais são suas metas futuras ou quanto tempo ainda falta para você atingi-las, esforce-se para demonstrar o seu melhor e máximo potencial a cada dia. O presente é tudo que temos. Este encantamento se baseia na jornada de Saturno até o sol, uma jornada espiritual da alma, do chumbo ao ouro.

Uma forma de usar esta magia é meditar para ser orientado a descobrir o seu desejo sincero. Visualize a si mesmo escalando uma pirâmide, mesmo que não saiba o que te espera no topo. Se você tiver um plano, pessoal ou profissional, visualize a sua meta no topo da pirâmide e veja a si mesmo ascendendo, alcançando-a. No nível espiritual, você pode usar esse encantamento sempre que se sentir perdido ou confuso, ou quando simplesmente precisar impulsionar a sua energia espiritual; quer ter uma chance de se revigorar. Se você alguma vez sentir que saiu dos trilhos ou que não está aproveitando todo o seu potencial, use esta magia para realinhar-se com o seu propósito e as suas metas. Pode ser simplesmente uma ânsia por ser melhor do que é, cultivar um estilo de mais vida saudável, talvez, ou ajudar os outros.

Em última análise, o processo da alquimia envolve transformação. Essa prática pode ser mais bem compreendida quando se imagina que o alquimista, para curar espiritualmente o mundo (e a si mesmo), precisa encontrar uma forma de atravessar as sete esferas do cosmos e alcançar o ouro espiritual. Essa jornada começa com Saturno/chumbo e passa pelos seguintes estágios: Júpiter/estanho, Marte/ferro, Vênus/cobre, Mercúrio/mercúrio, Lua/prata e finalmente o Sol/ouro. O ouro era considerado a perfeição.

Pedras:

Você vai precisar das seguintes pedras ou metais, associados aos planetas:

- Saturno: chumbo, galena ou vanadinita.
- Júpiter: estanho ou peltre (a ametista ou a lepidolita podem ser usadas como substitutas).
- Marte: ferro, pirita ou hematita.
- Vênus: cobre (ou um mineral que contenha cobre, como a malaquita, a azurita ou a bornita).

- Mercúrio: como não podemos trabalhar com o mercúrio (é tóxico), use quartzo de aventurina ou uma pedra de mica.
- Lua: prata (use uma joia de prata de lei).
- Sol: ouro (use uma joia de ouro, de pelo menos 10 quilates).

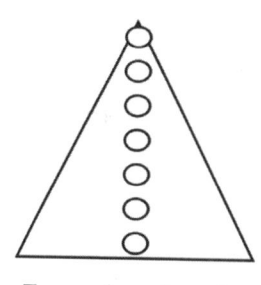

Tornando-se "ouro"

Como a maioria de nós não tem barras de metal em casa, podemos usar joias se necessário. Por exemplo, quando preciso de peltre, eu lanço mão ou de uma joia ou de uma estatueta desse material. Além disso, se você tiver um anel ou pingente de ouro que considera especial, ele será uma boa escolha para usar como símbolo da sua meta nesta magia.

Você pode desenhar esse encantamento no papel ou na areia. Monte a grade acrescentando as pedras de baixo para cima, posicionando cada uma no seu local apropriado. Ao posicionar o objeto, visualize a sua jornada. Entoe os primeiros quatro versos antes de começar.

Ao sol eu tento chegar.
Na jornada a começar,
O ouro vou alcançar.

Como os alquimistas de antes
Com esta base estou confiante.

Buscando mais a cada dia
Meu corpo vai ganhando energia.

Nos pensamentos que na mente surgem
Vou tirando do ferro sua ferrugem.

Em mim eu passo a confiar.
E minha alma aprende a brilhar.

Amor e luz vão se entretecer.
Em mim vejo a luz crescer.

Vou focar as minhas metas.
Quero agora todas completas.

Mais um passo e chego lá
Em ouro meu espírito vai transmutar.

No melhor eu hei de me transformar.

Grade do amor universal

Outro símbolo usado ao longo da História em várias religiões e tradições esotéricas é a estrela de seis pontas, o hexagrama, também chamado de Selo de Salomão e Estrela de Davi. Poderoso símbolo mágico, ele pode ser usado para unir os símbolos alquímicos do Fogo e da Água. Quando os dois estão unidos na forma da estrela, a Terra e o Ar também estão representados. Assim, todos os elementos estão reunidos. A união dos quatro elementos é outro símbolo da pedra filosofal: o quinto elemento. Essa grade também nos oferece a beleza do equilíbrio presente no número 6.

Use essa grade em sua busca por amor universal e harmonia na sua vida. Você também pode utilizá-la para aguçar a sua intuição, pois sua mente se abre para ela mesma quando encontra harmonia dentro de si.

Pedras:

- Opção 1: Use seis pontas de quartzo transparentes.
- Opção 2: Use seis pedras entre as relacionadas a seguir, que têm uma estrutura triangular: quartzo rosa (amor universal), quartzo esfumaçado (equilíbrio), ametista (calma e equilíbrio), safira (paz e alegria), ágata (saúde em geral), calcita (cura), hema-

tita (equilíbrio, ancoragem, purificação), heliotrópio (equilíbrio e purificação) e rodocrosita (amor e equilíbrio).
- Opção 3: Use uma combinação de pontas de quartzo transparente e qualquer uma das pedras a seguir, que têm uma estrutura interna hexagonal: água-marinha (capacidade psíquica), esmeralda (amor e harmonia), apatita (intuição/clareza), vanadinita (processos mentais e meditação).

Desenhe a estrela no papel ou na areia e posicione as pedras em cada uma das seis pontas da estrela.

Visualize a si mesmo em harmonia com o universo e conectado com todas as coisas. Acalme o caos dos seus pensamentos. Fique em silêncio. Você está aberto a todas as relações amorosas; você está cercado de beleza.

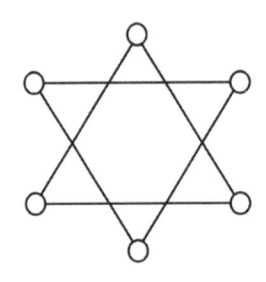

Estrela de seis pontas

Cântico:

Equilíbrio, centramento e paz,
Estou agora aprendendo
Quanto bem isso me faz.
Ouço o silêncio pairando:
Harmonia e Glória!
A felicidade está me visitando.
Em meu interior reina a beleza.
O amor por fim é uma certeza.

Repita o cântico inteiro seis vezes.

Magia espiral para a mudança

O enxofre costumava ser muito usado na alquimia e, como a alquimia pode ser uma metáfora para a mudança, usamos o enxofre neste encantamento. Cristal de um amarelo intenso encantador e macio, o enxofre precisa ser manuseado com cuidado. E, lembre-se, ele é tóxico, então lave as mãos após usá-lo.

Esta magia evoca a mudança quando você se sente estagnado, ou a transformação quando você está pronto para entrar numa nova fase na sua vida. Lembre-se: a mudança pode ser repentina. Realize este encantamento numa quinta-feira, em qualquer fase ou signo lunar.

Pedras:
- Rosa-do-deserto: para afirmar que tudo é possível.
- Ágata (da cor que preferir): para a evolução pessoal.
- Madeira petrificada: para mudar o que você puder.
- Magnetita: para ter orientação espiritual.
- Lepidolita: pedra da transição, para tornar a mudança mais fácil
- Enxofre: para facilitar a mudança e a transformação.
- Hematita: pedra da mente e da transformação.
- Gipsita (pedra-de-gesso): põe um fim na estagnação.
- Ametista: frequentemente usada para necessidades espirituais e transformação.

Para esta grade, usaremos a forma espiral, símbolo do crescimento e da mudança. Comece no centro e faça um movimento em espiral, posicionando as pedras em qualquer ordem. Você pode criar uma espiral em qualquer superfície, mas a areia é uma excelente superfície onde construir essa grade. Você pode desenhar uma espiral primeiro e então ir acrescentando as pedras. Entoe um verso do cântico ao posicionar cada pedra.

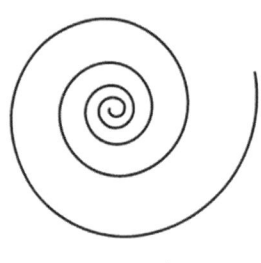

Espiral

Espiral, siga em frente
Gira, muda, não se rende.
Vejo em mim potencial,
Promessa espiritual.
Mudanças vão acontecer
Nada vai permanecer.
O que eu preciso, o que me cabe
Sei que o universo sabe.
Que assim seja.

Conclusão

Leve isto em consideração

Os cristais contêm os segredos do universo? Eles guardam um registro histórico do tempo? De alguma forma, sim. Do ponto de vista geológico, eles contam a história da Terra, e até mesmo do nosso universo. É por isso que as pessoas que trabalham com a magia com cristais estudam todos os aspectos da geologia, assim como as propriedades metafísicas das pedras.

Os cristais, como outras ferramentas mágicas, são projetados para focar a energia. Então por que, se a nossa mente em si já tem tanto poder, temos listas das propriedades metafísicas de certas pedras? Porque devido à estrutura delas, cor, conteúdo mineral, localização e outras características, algumas pedras são mais indicadas para certas tarefas, com base na percepção humana que temos delas. Esses atributos foram dados às pedras pelo ser humano ao longo das eras e eles correspondem a nós. Da mesma forma que as cores, aromas e sons podem afetar o nosso humor e equilíbrio mental, algumas pedras podem fazer isso também. Somos programados para essa magia.

Nós viemos das estrelas. Todos os elementos que formam o nosso planeta e cada átomo do nosso corpo, os componentes de que a vida é feita, vêm do espaço (mais especificamente, da explosão de estrelas chamadas supernovas). Então, ainda que pensemos nos metais e pedras como "terrestres", eles na verdade são cósmicos, pois vêm do universo. O nosso planeta é feito de detritos do espaço, assim como nós. Espero que você continue a explorar essa conexão universal e que a prática da magia com cristais expanda o seu entusiasmo pelos infinitos mistérios da vida.

Apêndice

Pedras e metais: correspondências metafísicas

Algumas pessoas acreditam que as pedras têm uma energia receptiva ou projetiva. Como, para mim, isso depende do tipo de magia que você está realizando, essas correspondências não são relacionadas aqui. No entanto, essa informação pode ser obtida com base no elemento associado a cada pedra. Se não há associação a um planeta ou elemento, é porque não há correspondência primária em especial. Eu compilei esta lista cotejando dezenas de fontes, e complementei-a com base na minha própria experiência com pedras. Também apresento, após a lista, um esclarecimento sobre os sistemas cristalinos.

Ágata: propriedades gerais: ancoragem; proteção; força; promove a saúde e a longevidade em geral; sintonia com a Terra; tranquiliza; evolução pessoal. Rendada Azul: consciência espiritual, cura, paz interior. Musgo: promove a concordância, a conexão com o Reino Vegetal. Triangular.

Água-marinha: "pedra da coragem" e da tolerância; protege os pescadores; amplia a consciência espiritual, as capacidades psíquicas e a criatividade. Hexagonal. Lua. Elemento Água.

Amazonita: equilibra emoções; a "pedra da esperança", harmonia e amor universal; combate a irritação; ajuda a aperfeiçoar a expressão pessoal. Triclínica. Elemento Terra. Urano.

Âmbar (resina): energia positiva; cura; sol; sensual; torna irresistível quem a usa. Amorfo. Sol. Elementos Fogo e Terra.

Ametista: promove a sobriedade, ajuda a acabar com vícios; refreia a paixão; estimula o despertar espiritual e a paz; favorece o sono, a transformação e a meditação; acalma, equilibra e clareia a aura; aumenta a capacidade psíquica. Trigonal. Júpiter e Netuno. Elemento Água.

Apatita: favorece a manifestação da intuição, especialmente com relação a vidas passadas; intensifica o poder de outras pedras; está relacionada a profissões humanitárias e do terceiro setor; equilíbrio; cura; estimula a clarividência, a intuição, a clareza e a paz, e propicia estados de meditação mais profundos; desperta o eu superior; aumenta a criatividade. Hexagonal.

Apofilita: facilita a viagem astral; propicia o autoconhecimento e a reflexão; estabelece conexões espirituais; ajuda a encontrar a verdade. Tetragonal.

Aragonita: centramento; meditação; ajuda a aliviar o estresse e a raiva; aumenta a paciência, a confiança e a praticidade; ajuda a aceitar as responsabilidades. Ortorrômbica.

Aventurina: aumenta a prosperidade, o "talismã do jogo"; equilibra as energias masculinas/femininas; pedra para a cura em geral (especialmente para a dor); cria oportunidade e aumenta a motivação; propicia a independência ("novos horizontes"), sorte; criatividade/individualidade; alívio do estresse. Trigonal. Mercúrio. Elemento Ar.

Azeviche: (uma variedade de madeira fossilizada, similar ao carvão) proteção; dissipa pensamentos baseados no medo e protege durante negociações, aumenta a estabilidade financeira. Amorfo. Saturno. Elemento Terra.

Azurita: desperta a capacidade psíquica e o Terceiro Olho; acaba com a indecisão e a preocupação; aumenta a autoconfiança; desfaz bloqueios; proporciona relaxamento e consciência (boa para uso na meditação); aumenta a criatividade e a comunicação com guias espirituais; ajuda a verbalizar experiências psíquicas. Monoclínica. Vênus. Elemento Água.

Barita (rosa-do-deserto): incentiva quem a usa a concretizar seus sonhos ("tudo é possível"), incentiva a independência nos relacionamentos; ajuda na desintoxicação/recuperação de vícios. Ortorrômbica.

Bornita: revigora e renova; estimula o espírito; alivia o estresse e a dor; uma "pedra da felicidade"; protege contra a energia negativa; elimina as barreiras para as suas metas; cura. Ortorrômbica.

Bronzita: (magnésio e ferro) "pedra da cortesia" e da ação focada; realização e assistência. Proporciona paz; ajuda no alívio do estresse e cura traumas emocionais. Ortorrômbica. Vênus. Elemento Terra.

Calcita: amplifica energia; ajuda a memória; excelente para estudo das artes e das ciências; cura (*ver também* Ônix). Trigonal. (Espato da Islândia é uma formação muito conhecida.)

Celestita: revitalização; excelente pedra de cura; ajuda na prática de atividades artísticas delicadas, atividades mentais e resolução de problemas; uma "pedra do equilíbrio"; ajuda na viagem astral e na recordação dos sonhos; proporciona calma e harmonia; alivia a preocupação; promove comunicação e sabedoria espiritual; abre os chakras; ajuda a distinguir necessidade de desejo. Ortorrômbica. Vênus, Netuno. Elemento Água.

Cianita: nunca precisa ser purificada; proporciona "harmonia" e alinha os chakras instantaneamente; tranquilidade; consciência psíquica e clareza; incentiva a expressão da criatividade; dissipa a raiva e a frustração. Triclínica.

Citrino: (um tipo de quartzo que varia do amarelo pálido até o marrom) pedra do otimismo e da abundância; nunca requer purificação — não retém energia negativa, mas a dissipa e transmuta; frequentemente chamada de "pedra do comerciante", usada para sucesso nos estudos e nos negócios; ajuda a clarear a mente; ensina a ser próspero; boa para a comunicação; dissipa o medo; torna quem a usa aberto à comunicação/influência positiva. Trigonal. Sol. Elemento Fogo.

Cobre: condutor de energia; aumenta a autoestima; ajuda a vencer a exaustão e o desequilíbrio sexual. Cúbica. Vênus. Elemento Água.

Cornalina: sexualidade; poder pessoal; resistência física; estimula a precisão e a capacidade analíticas, concentração; compaixão; consciência do momento presente; foco, motivação, estímulo. Trigonal. Sol. Elemento Fogo.

Creedita: aumenta a clareza da expressão no reino espiritual; ajuda a remover obstáculos para a sua meta. Meditação. Monoclínica.

Crisocola: (mineral de cobre) promove a harmonia com a Terra; elimina o medo; intensifica a compreensão e a capacidade de amar; purifica o ambiente doméstico; ajuda na comunicação; uma pedra "feminina". Amorfo. Vênus. Elemento Água.

Diamante de Herkimer: (cristais de quartzo de transparência excepcional, cujo nome remete ao local onde foram descobertos, o Condado de Herkimer, em Nova York) harmonia e conexão; ajuda a pessoa que o usa a "ser" e saber que já é o que busca se tornar; ajuda a relaxar e a expandir a energia vital; estimula a clarividência; ajuda a reter informação/se lembrar dos sonhos; cura; purificação. Trigonal.

Diamante: propicia coragem, pureza e inocência; inspira a criatividade e a imaginação; abundância. Cúbica. Sol. Elemento Fogo.

Dolomita: alivia o pesar; ajuda a compreender que "tudo acontece por algum motivo"; elimina bloqueios; incentiva a compaixão. Trigonal.

Enxofre: proporciona abundância de energia, inspiração, e estimula a devoção para aperfeiçoamento do eu; ajuda a "derreter" as barreiras para o progresso com sutileza. Ortorrômbica. Sol. Elemento Fogo.

Esmeralda: "pedra do amor bem-sucedido", associada a Vênus, também propicia a prosperidade, as questões materiais e o sucesso nos negócios; reaviva a memória. Hexagonal. Vênus. Elemento Terra.

Estanho: proporciona recomeços; divinação; boa sorte; prosperidade. Tetragonal. Júpiter. Elemento Ar.

Ferro: proteção, força, ancoragem, cura. Cúbica. Marte. Elemento Fogo.

Fluorita: propriedades gerais: promove a ordem e a razão, a concentração e a meditação; "pedra do discernimento e da aptidão"; estabilizadora; ajuda a obter conquistas no campo mental; "a pedra do gênio". Azul: energia calmante; comunicação ordenada; Transparente: usar no chakra da coroa; sintoniza/purifica a aura. Verde: dissipa a negatividade de um ambiente, estimula a arrumação, "frescor de menta". Roxo: abre o Terceiro Olho; estimula o desenvolvimento psíquico/espiritual e a intuição. Amarelo: incentiva as atividades espirituais e intelectuais. Cúbica.

Fóssil: proporciona qualidade e excelência a um ambiente.

Fuchsita: (pedra verde do grupo da muscovita/mica) ajuda a pessoa a reagir e a dar a volta por cima; promove o equilíbrio; usada na meditação, estimula a intuição nas questões práticas; ajuda a pessoa a se adaptar a uma situação. Monoclínica. Elemento Ar.

Galena: ancoragem e centramento; "pedra da harmonia". Cúbica. Elemento Terra.

Geodo: Mãe Terra, útero; ajuda a ter uma perspectiva mais ampla. Elemento Água.

Gipsita: (selenita) sorte; dissipa a estagnação; intensifica o progresso; estimula a fertilidade. Algumas variedades são o alabastro, espato-cetim e a selenita "rosa-do-deserto" (areia cristalizada): promove a consciência de si mesmo e do seu entorno. Monoclínica.

Granada: "pedra da saúde"; comprometimento; autoconfiança; sexualidade; vigor; paciência; protege contra roubo; boa para relembrar os sonhos. Granada grossulária: promove a estabilidade em processos e questões legais/desafios; aumenta a produtividade, fertilidade. Cúbica. Marte. Elemento Fogo.

Granito: sobretudo quartzo e feldspato ortoclásio. Permite que se tenha uma perspectiva mais ampla e ajuda a encontrar equilíbrio em relacionamentos. Prosperidade.

Heliotrópio: (também chamada de jaspe sanguíneo; uma variedade verde da calcedônia, com pontos de hematita vermelha [óxido de ferro] ou de jaspe) purificação; estimula a coragem, a ancoragem e o foco no "aqui e agora"; equilibra o corpo; aperfeiçoa os talentos; ajuda na tomada de decisões. Trigonal. Marte. Elemento Fogo.

Hematita: purifica e equilibra; uma "pedra da mente"; proporciona autocontrole; ancoragem; consciência psíquica; transforma a negatividade; alivia o estresse quando levada no bolso ou na bolsa; aumenta a destreza manual; ajuda a atingir metas. Trigonal. Saturno. Elemento Fogo.

Hemimorfita: ajuda no autoconhecimento; diminui o egocentrismo incentivando o respeito por si próprio e a realização do potencial máximo; aumenta a criatividade; ameniza a hostilidade. Ortorrômbica.

Howlita: torna a comunicação mais serena; ajuda a pessoa a agir para conquistar suas metas; incentiva a sutileza e o tato; melhora o caráter; acaba com a dor, o estresse e a raiva. Monoclínica.

Iolita: (cordierita em tons de azul e com qualidade de pedra preciosa) pedra do Terceiro Olho, promove o crescimento espiritual; estimula visões xamânicas; propicia o equilíbrio, o despertar da sabedoria interior; pode ajudar a quitar dívidas e aceitar responsabilidades; beneficia a saúde; traz harmonia interior e nos relacionamento; revigora a aura. Ortorrômbica.

Jade: (nefrita e jadeíta, rochas metamórficas) "pedra dos sonhos"; também chamada de "pedra do jardineiro"; aumenta a vitalidade, a harmonia, a inspiração, a perspectiva e a sabedoria; longevidade; proteção; sorte. Vênus. Elemento Água.

Jaspe zebra (quartzo e basalto): resistência; persistência (especialmente para atletas); dá força em tempos difíceis; alivia a raiva; facilita a compaixão e o entendimento; "ver além da aparência"; ativar durante ciclo da lua cheia ou nova.

Jaspe: propriedades gerais: "provedor supremo"; cura; beleza; coragem; boa sorte e sucesso financeiro; criatividade; harmonia; uma "Pedra da Terra"; estabiliza e reduz a insegurança; boa para ancorar depois de um ritual. Trigonal.

Labradorita: protege e equilibra a aura; ajuda a pessoa a compreender qual é o seu destino; promove a paciência, a perseverança e o autoconhecimento; reduz a ansiedade e o estresse; dá discernimento e direcionamento para "saber a hora certa"; sabedoria. Triclínica. Lua. Elemento Água.

Lágrima de Apache: estimula o perdão; conforta; ajuda a aceitar uma perda; elimina limites autoimpostos. Amorfa. Saturno. Elemento Fogo.

Lápis-lazúli: (pedra que consiste principalmente no mineral lazurita, que costuma conter pirita e calcita, dentre outros minerais) "pedra da consciência total"; amplifica a espiritualidade e a consciência psíquica; ajuda a julgar corretamente no dia a dia; sabedoria; alegria; estimula a criatividade, a clareza mental e a retórica; sinceridade; autoaceitação; revigora o sistema imunológico. Cúbica. Vênus. Elemento Água.

Latão: (mistura de cobre e zinco) cura; prosperidade; proteção. Sol. Elemento Fogo.

Lepidolita: reduz o estresse; "pedra da transição" e do amor-próprio; acalma o ambiente; ameniza as emoções; dissipa a raiva; pedra dos sonhos: protege contra pesadelos; induz com suavidade a mudança para que se chegue "à raiz do problema". Monoclínica. Júpiter, Netuno. Elemento Água.

Madeira Petrificada: "mude o que puder e não se preocupe com o resto"; força; ancoragem; meditação de vidas passadas; apoio em tempos de crise; transformação; previne estresse com o trabalho.

Magnetita: equilibra e aumenta a receptividade às energias masculina/feminina; incentiva a perseverança; motivação; orientação espiritual. Cúbica. Vênus. Elemento Água.

Malaquita: transformação; abre caminho para a sua meta; proteção (especialmente na aviação; prosperidade nos negócios; alivia, acalma; combate a depressão; melhora o humor. Monoclínica. Vênus. Elemento Terra.

Marcassita: (polimorfo de pirita: as mesmas substâncias químicas, mas simetria diferente; a marcassita vendida como joia é, na verdade, pirita) estimula a intuição e o intelecto; proporciona desenvolvimento espiritual; combate a impaciência. Ortorrômbica.

Mica: autorreflexão; ajuda a dormir. Monoclínica. Mercúrio. Elemento Ar.

Obsidiana: proteção (especialmente contra vampiros energéticos); ancoragem; escriação; absorve a negatividade; mistérios da deusa; desapego, mas com sabedoria e amor. Obsidiana Floco de Neve: aguça a visão interna e externa; revela contrastes da vida, percepção de padrões desnecessários; serenidade quando em retiro e meditação; "pedra da pureza"; (*ver também* Lágrima de Apache). Amorfa. Saturno. Elemento Fogo.

Olho-de-gato (cimofana): um tipo de crisoberilo que apresenta inclusões em forma de agulhas que criam um efeito que lembra um olho. É o nome dado à alexandrita quando lapidada em forma de cabochão. Estimula o intelecto e a percepção; estabiliza; protege. Ajuda a pessoa a lidar com seus problemas e a ver uma situação com mais clareza antes de agir. Promove o amor incondicional. Ortorrômbica.

Olho-de-tigre: (variedade do quartzo) foco e concentração; percepção, entendimento; ancoragem; talismã para prosperidade e riqueza; proteção; intuição e visão psíquica; coragem e força; otimismo, ajuda a ver as coisas sob a melhor luz; energia pendendo para o masculino; equilíbrio; aumenta a criatividade, integridade e poder pessoal; ajuda a concretizar ideias. Azul: essa pedra é frequentemente chamada de Olho de Falcão; proporciona paz e cura; Vermelha: proteção (a pedra vermelha é normalmente submetida a tratamento térmico para ganhar essa coloração). Trigonal. Sol. Elemento Fogo.

Ônix: foco; elimina a dor; ajuda a tomar decisões; alivia o estresse; equilibra as energias masculina/feminina; ajuda no desapego e no autocontrole; reforça o instinto. Trigonal. Marte. Saturno. Elemento Fogo.

Opala: acaba com inibições; desperta capacidade intuitiva; beleza; cura o espírito; contém todas as cores, representa todos os elementos; ajuda nas visões e nas viagens psíquicas; firma propósitos; pode ser usada para realizar desejos e ajuda na prática da magia; permite que se fique imperceptível quando preciso ("invisibilidade"). Amorfo.

Ouro: purifica e energiza o corpo físico, energia solar/masculina. Cúbico. Sol. Elemento Fogo.

Pedra-da-lua: feminino; energia lunar; "a pedra do viajante"; ajuda durante ciclos/mudanças; recomeços; intuição; entendimento; cura para mulheres; aumenta a sensibilidade psíquica; calmante; equilíbrio; introspectiva e reflexiva; permite distinguir desejos de necessidades. Monoclínica. Lua. Elemento Água.

Peltre: (mistura de estanho e cobre, e alguns outros metais) divinação, sorte, prosperidade. Júpiter. Elemento Ar.

Peridoto: (pedra preciosa, tipo de olivina — é possível substituí-la pela olivina) calor; amizade; entendimento profundo da mudança; chakras do Coração e do Plexo Solar; aceitação dentro de relacionamentos; recuperação de objetos perdidos; cura; pedra visionária; liberta da inveja; regula ciclos. Ortorrômbica. Vênus. Elemento Terra.

Pérola: fé e orientação espiritual; pureza; caridade; inocência; sinceridade. Amorfa. Lua. Elemento Água.

Pirita: protege contra a energia negativa; proteção; saúde; melhora a memória e o entendimento; praticidade; força de vontade e positividade. Cúbica. Marte. Elemento Fogo.

Platina: equilíbrio; foco; purificação emocional; intensifica a intuição. Cúbica. Netuno. Elemento Água.

Prata: intensifica a função mental; alivia a raiva; ajuda na circulação; alivia o estresse; equilíbrio emocional; melhora a fala; excelente condutor de energia; associado à lua; energia feminina; receptivo. Cúbico. Lua. Elemento Água.

Quartzo: o quartzo transparente é muitas vezes chamado de o "Mestre dos Cristais"; corresponde a todos os elementos e signos astrológicos; proporciona equilíbrio, pureza, meditação, intensifica a energia e os pensamentos; proporciona clareza; harmonia; uma "pedra de poder"; ajuda na comunicação em todos os níveis; um magnificador, cura e amplifica tudo à sua volta; ajuda a focar e a transmitir energia. Trigonal. Rosa: proporciona amor-próprio, clareza no emocional, ensina a perdoar, amor pelos outros, amor universal, compaixão; deixa a pele bonita; fertilidade; sexo; acalma o humor. Esfumaçado: transforma a negatividade; elimina barreiras emocionais e mentais; clareza na meditação; equilíbrio; ancoragem; "pedra da cooperação"; aumenta o orgulho próprio e a alegria de viver; ajuda a desapegar; aumenta o amor pelo corpo físico; ativa os chakras ligados à sobrevivência. Leitoso: incentiva a esperança; estabiliza os sonhos; ajuda no autoconhecimento; clareza da mente; amor pela verdade. (*Ver também* Citrino e Ametista.) Rutilado: intuição; "abre caminhos"; viagem astral; ajuda a chegar à raiz do problema; estimula a função cerebral; facilita a inspiração; comunicação com o eu superior; mais intenso que o quartzo transparente. Turmalinado: cria uma "atmosfera de solução"; proteção; polaridade de energia; equilíbrio natural.

Quiastolita: ("pedra da cruz") auxilia na mudança, na morte e no renascimento, transições, viagem astral, resolução de problemas, criatividade, praticidade e estímulo da espiritualidade durante uma doença.

Riólito: (pedra vulcânica composta principalmente por quartzo com outros minerais, feldspato comumente incluído. Combinações de cor são geralmente uma mistura de branco, cinza, verde, vermelho e marrom; às vezes lembra granito.) "Pedra da resolução"; usar para mudança, variedade e progresso; meditação.

Rodocrosita: "pedra do amor e do equilíbrio" ajuda a meditar; cura da terra; acaba com a tendência à negação e ao escapismo; proporciona saúde; ajuda a aceitar e a interpretar; pode trazer um novo amor à vida de quem a usa; equilíbrio emocional; une consciente e subconsciente. Trigonal. Marte. Elemento Fogo.

Rondonita: "pedra do amor", equilibra as energias yin e yang, conexão com a espiritualidade do universo; ajuda a atingir todo o seu potencial; ativa e energiza o chakra do Coração enquanto ancora; alimenta o amor incondicional; elimina a ansiedade; proporciona coerência em conflitos caóticos; proporciona uma certeza serena. Triclínica. Marte. Elemento Fogo.

Rubi (Coríndon vermelho): "pedra da grandeza"; alimenta a prosperidade e a estabilidade financeira. Trigonal. Elemento Fogo.

Rutilo: trabalha para eliminar as circunstâncias da interferência. Tetragonal.

Safira (Coríndon azul): traz paz e alegria; a "pedra da prosperidade". Azul: foco e proteção; oportunidades de emprego; Safira Estrela (contém rutilo): foco; sabedoria; boa sorte. Trigonal. Lua. Elemento Água.

Serpentina: (um grupo de rochas que apresenta uma coloração esverdeada, semelhante a escamas, geralmente contendo magnésio e ferro) intensifica o estado meditativo; purifica os chakras; ajuda a tratar doenças do corpo e da mente, direcionando a pessoa para o problema conscientemente. Saturno. Elemento Fogo.

Sodalita: lógica, clareza; incentiva a objetividade; ajuda a dormir; elimina a confusão; incentiva o companheirismo; autoestima; confiança; ajuda a verbalizar sentimentos sinceros; clareia a mente; ajuda a chegar a conclusões lógicas; torna as coisas mais claras. Cúbica. Vênus. Elemento Água.

Topázio: (características gerais) ajuda a vencer medos; "pedra do amor verdadeiro e sucesso em todos os empreendimentos"; incentiva a individualidade e a criatividade; ajuda a confiar em decisões e ter uma perspectiva mais ampla; prosperidade e saúde; confiança; força; proteção; reforça o pensamento abstrato. Ortorrômbica. Sol. Elemento Fogo.

Turmalina: Negra: protege contra energia negativa: defletor de energia; aumenta a vitalidade física; praticidade; criatividade; ancoragem; combate feitiçaria. Melancia: forte ativador do chakra do Coração; permite experiências relativas à beleza natural; trata nervosismo e transtornos emocionais; aumenta a cooperação; equilíbrio; ajuda a curar o coração partido. Trigonal.

Turquesa: incentiva a harmonia espiritual; pode ser usada como guia durante viagens astrais (proteção); ancoragem; sabedoria; benevolência; proporciona clareza na comunicação; alivia a ansiedade; ajuda na autoconsciência; ajuda a encontrar o seu "verdadeiro propósito". Triclínica. Vênus, Netuno. Elemento Terra.

Unaquita: chakra do Coração e cura; equilíbrio emocional; ancoragem (mais que o quartzo rosa); desperta o amor no interior do ser. Monoclínica.

Vanadinita: facilita o progresso mental; liga o pensamento ao conhecimento; pode levar a um profundo estado meditativo; proporciona organização e comedimento nas compras. Hexagonal.

Vulfenita: facilita a prática da magia; incentiva a perseverança apesar de obstáculos ou limitações potenciais; permite a transição para planos psíquicos e astrais. Tetragonal.

Zircônia: (não confundir com zircônia cúbica, que é sintética) a "pedra da virtude"; pedra espiritual, inocência e pureza; pode ajudar a alinhar os chakras. Tetragonal.

Sistemas cristalinos

Existem sete sistemas cristalinos básicos, que podem ser divididos em trinta e duas classes com base nas várias combinações de cada estrutura. Aqui precisamos considerar apenas sete sistemas básicos. *Hábito cristalino* é o termo usado para descrever a aparência externa do cristal. Pense desta forma: sistema ou estrutura internamente, hábito externamente (como os hábitos que as pessoas apresentam).

Esses sete sistemas de estrutura cristalina são importantes porque na magia, a numerologia e as formas são significativas. Por exemplo, o cubo é frequentemente usado como símbolo do elemento Terra e a pirâmide para representar o Fogo. Os cristais com esse tipo de estrutura podem ser usados em magias relacionadas a esses elementos.

Lembre-se, esses sistemas descrevem a estrutura interna que pode ou não estar evidente na aparência externa do cristal. Além disso, esses formatos em particular apresentam características específicas que podemos incorporar na magia com cristais.

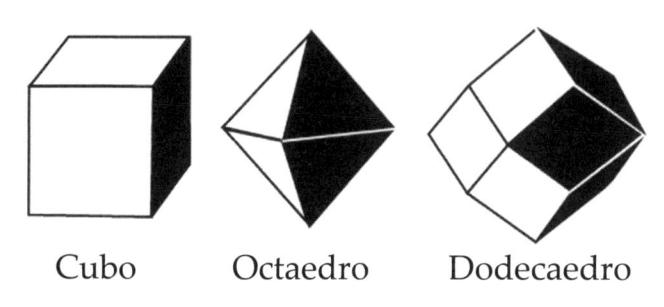

Cubo   Octaedro   Dodecaedro

Sistema Isométrico

Cúbico (também chamado de isométrico) — Basicamente, trata-se de um cubo; um quadrado tridimensional. Seis lados quadrados com ângulos de 90° voltados para dentro. Essa forma também é chamada de hexaedro (a maneira mais sofisticada de dizer seis lados). Essa estrutura pode aparecer em quinze formatos diferentes, mais do que qualquer outro sistema cristalino. Essa estrutura tem o grau mais elevado de simetria cristalina. Esse grupo inclui diamante, halita (sal de rocha), sodalita, granada, fluorita, ouro, prata, cobre, platina e pirita. O lápis-lazúli também possui essa estrutura, mas esse mineral raramente se cristaliza (rocha é uma classificação mais exata para o lápis-lazúli). Às vezes esses minerais de fato formam estruturas cúbicas (pense em pedras de pirita ou fluorita que você já tenha visto). A máxima forma da estabilidade e base concreta, esse formato, independente da pedra, pode causar um efeito de ancoragem ou ser usado em encantamentos e grades para propósitos práticos, realidade e estrutura.

Nota: O octaedro está dentro dessa categoria. Eu o menciono porque os cristais octaédricos de fluorita são comuns no mundo dos colecionadores. A confusão é causada pelo seguinte fato: ainda que você possa ter um octaedro de fluorita de oito lados, a sua estrutura atômica é cúbica. A simetria dos átomos determina o formato que terá o cristal, mas cada simetria abrange múltiplas possibilidades.

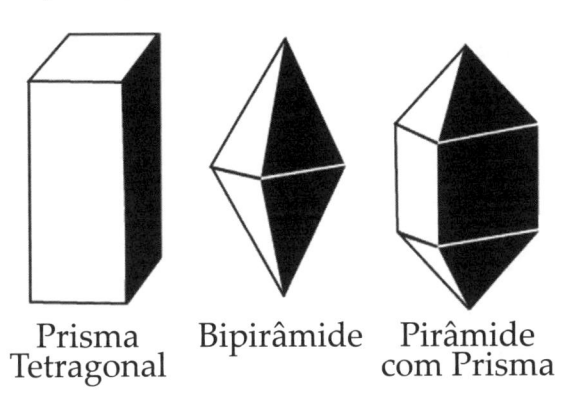

Prisma Tetragonal   Bipirâmide   Pirâmide com Prisma

Sistema Tetragonal

Tetragonal — Imagine um cubo sendo esticado para ambos os lados.

Esse sistema tem três eixos que se encontram em ângulos retos; dois possuem o mesmo comprimento e o terceiro é mais curto ou longo. Esse sistema se baseia na estrutura retangular e inclui formas como a pirâmide e o prisma de quatro lados, pirâmides de oito lados e as pirâmides duplas. Cristais que apresentam essa estrutura são normalmente a zircônia, a apofilita, a vulfenita e o rutilo. As características dessa forma podem ajudar a equilibrar ou unir forças opostas.

Prisma   Bipirâmide   Prisma

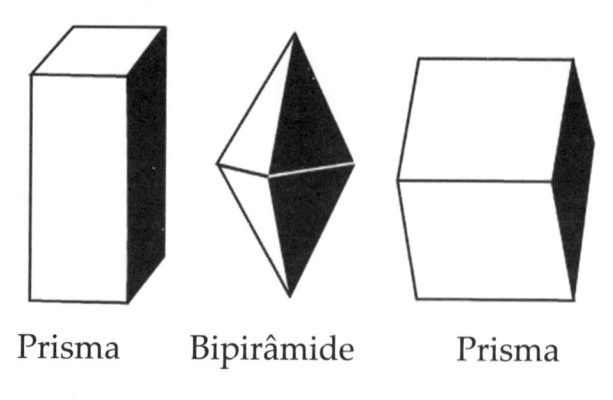

Sistema Ortorrômbico

Ortorrômbico — O sistema cristalino ortorrômbico é semelhante ao tetragonal, por ter três eixos perpendiculares um ao outro; no entanto, os três eixos têm comprimentos diferentes. Esses eixos de diferentes tamanhos se encontram em ângulos retos e são baseados na estrutura interna em forma de diamante. O prisma rômbico e a pirâmide são exemplos desse formato. Os cristais desse grupo incluem: barita, enxofre, topázio, celestita, iolita, hemimorfita, aragonita e peridoto. Essa forma ajuda no foco e na perspectiva para enfrentar uma situação.

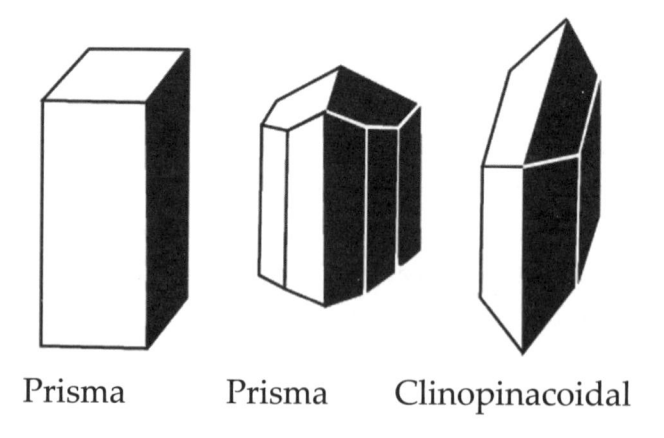

Prisma   Prisma   Clinopinacoidal

Sistema Monoclínico

Monoclínico — Esse sistema tem três eixos de diferentes comprimentos. Dois estão em ângulos retos e o terceiro é inclinado. Essa estrutura baseia-se no paralelogramo. Exemplos de cristais desse grupo são: azurita, malaquita, howlita, pedra-da-lua, serpentina, crisocola, gipsita, mica (moscovita), lazulita, estaurolita, gipsita, talco, jade, selenita, lepidolita e kunzita. Essa forma estabiliza, dá coragem e é muito usada para proporcionar clareza mental.

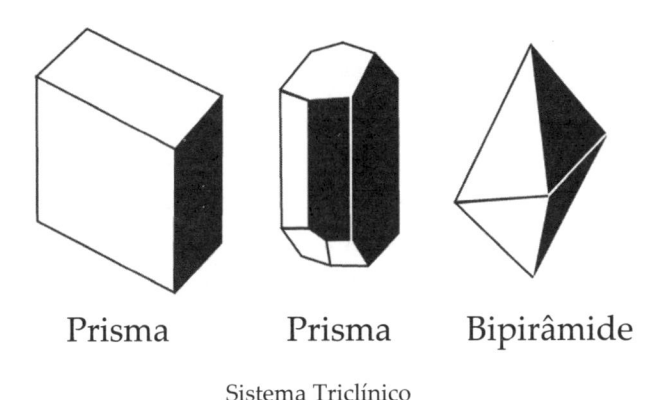

Prisma   Prisma   Bipirâmide

Sistema Triclínico

Triclínico — Esse sistema contém três eixos de comprimentos diferentes que formam duas faces paralelas aos eixos e se baseia na estrutura de três ângulos inclinados. Entre os cristais desse grupo estão: turquesa, amazonita, labradorita, rodonita e cianita. Esse é o sistema menos simétrico do grupo, muitas vezes produzindo cristais tabulares. Essa forma pode ajudar a equilibrar a vida pessoal, as percepções e atitudes de quem a usa.

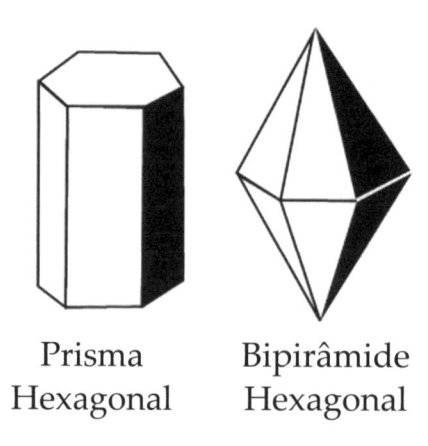

Prisma Bipirâmide
Hexagonal Hexagonal

Sistema Hexagonal

Hexagonal — Sistema de quatro eixos, um dos quais menor que os outros três, que têm o mesmo comprimento e se encontram em ângulos de 60°. Esse sistema é baseado numa estrutura interna de seis lados e tem sete planos de simetria, sete eixos e um centro. Alguns formatos cristalinos comuns aqui são as pontas de seis lados, as pirâmides e prismas de quatro lados, as pirâmides de doze lados e as pirâmides duplas. Muitos tipos de cristal podem ser produzidos por essa estrutura. Exemplos de minerais hexagonais são: esmeralda, água-marinha, apatita e vanadinita. Essa forma auxilia na vitalidade, no crescimento e na intuição.

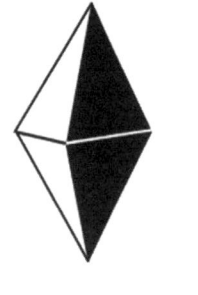

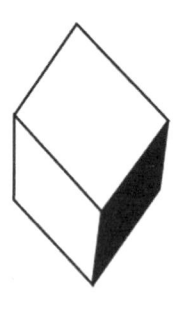

Bipirâmide Romboedro Escalenoedro

Sistema Trigonal

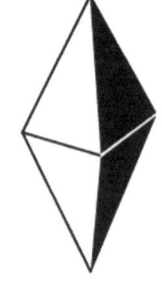

Trigonal: — Esse sistema é similar ao hexagonal e com frequência considerado um subgrupo dele. Baseia-se na estrutura triangular e, entre suas formas, estão os prismas e pirâmides de três lados e o romboedro. Exemplos de cristais desse grupo são vários tipos de quartzo, safira, ágata, calcita, cornalina, dolomita, hematita, rubi, turmalina, ônix, heliotrópio e rodocrosita. Essa forma ajuda a estimular um tipo de energia que proporciona equilíbrio, similar ao sistema hexagonal, porém mais forte. O sistema trigonal tem duas estruturas reticulares internas: hexagonal e romboédrica.

Falando em simetria, apenas a esfera possui simetria perfeita e essa forma não existe em cristais naturais. Se quisermos obtê-la, é preciso entalhar uma pedra nesse formato.

Materiais amorfos não possuem simetria atômica em sua estrutura interna (alguns são substâncias orgânicas, e não minerais). Incluem âmbar, crisocola, azeviche, obsidiana, opala e pérola.

Sólidos platônicos

Os estudos de Platão sobre o universo indicavam que as características das coisas, no mundo físico, refletiam ideias perfeitas e puras. Explicarei aqui como surgiu a filosofia das cinco formas geométricas "perfeitas". Platão afirmava que dessas formas se constituía a estrutura completa do planeta (os elementos e o universo). É claro, agora compreendemos que isso não está cientificamente correto, mas a ideia de Platão sobre essas formas servia de fato para as estruturas cristalinas. Na verdade, essas formas não foram realmente descobertas por Platão (elas já eram conhecidas milhares de anos antes da sua "descoberta"). Modelos de pedras nesses formatos foram encontrados nas Ilhas Britânicas e aparentemente tinham quase quatro mil anos!

Essas formas são únicas porque possuem certas características: elas têm o mesmo formato de cada lado, cada linha possui o mesmo comprimento, todos os ângulos internos são iguais e cada um deles encaixa perfeitamente dentro de uma esfera. Eles também têm dualidade.

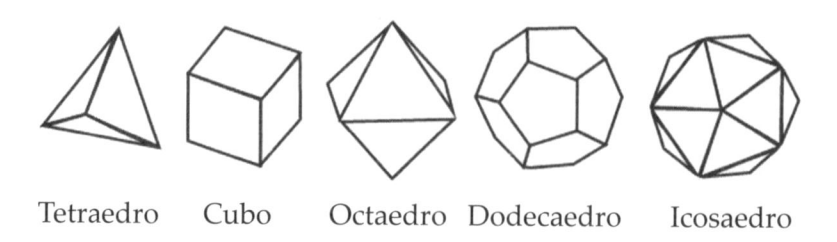

Tetraedro   Cubo   Octaedro   Dodecaedro   Icosaedro

Eles são poliedros (muitas faces) regulares e são sólidos regulares, convexos e tridimensionais. Nas estruturas cristalinas, somente três dos cinco Sólidos Platônicos ocorrem naturalmente, o tetraedro, o cubo e o octaedro. (Lembre-se, estamos falando de estrutura interna, não necessariamente da aparência exterior da pedra. Algumas pedras apresentam essa forma externamente.) Quando trabalhamos com as propriedades metafísicas das pedras, considerar essas formas cristalinas é de grande utilidade.

Seguem as características atribuídas a cada Sólido Platônico:
- **Tetraedro (pirâmide):** quatro faces triangulares iguais — Fogo/Plasma (trigonal).
  - Todos os lados são triangulares: a base não é quadrada.
  - **Apofilita** (normalmente forma pirâmides naturalmente): às vezes zircônia.
- **Cubo:** seis faces quadradas — Terra/Sólido (cúbico).
  - O **sal de cozinha** forma (cloreto de sódio/halita) cubos naturais; a pirita é outro bom exemplo.
- **Octaedro** (pirâmides duplas com base quadrada): oito faces triangulares iguais — Ar/Gás (tetragonal).
  - A Fluorita é muitas vezes encontrada nesse formato; o diamante também. Mas, lembre-se, esses minerais têm estrutura interna cúbica. O hábito (aparência externa) é às vezes octaédrico.

- **Dodecaedro:** doze faces pentagonais — (Universo/Vácuo) uma forma muito mística — doze pentágonos (doze formas de cinco lados perfeitas).
- **Icosaedro:** doze faces triangulares iguais — Água/Líquido.

Nota: Não confunda "tetraedro" com "tetragonal". *Tetra* vem do grego e significa "quatro", mas estamos falando de coisas diferentes: o tetraedro tem quatro faces triangulares; o sistema cristalino tetragonal tem dois sistemas internos, um é o cubo estendido e o outro é o prisma. A palavra "tetra" é usada por causa dos quatro pontos na sua estrutura. Pense num quadrado (não um cubo) com quatro pontas. Pontas repetidas numa estrutura invisível criam simetria.

Correspondências dos dias da semana: pedras, incensos e óleos

Domingo: Sol/Sucesso, Cura, Proteção, Energia
Pedras: âmbar, cornalina, citrino, diamante, ouro, enxofre, olho-de-tigre, topázio
Incenso/Óleos: benjoim, canela, copal, olíbano, alecrim

Segunda-Feira: Lua/Espiritualidade, Intuição, Emoções, Sonhos, Paz, Meditação
Pedras: água-marinha, labradorita, pedra-da-lua, pérola, safira, selenita (gipsita), prata
Incenso/Óleos: eucalipto, jasmim, limão, mirra, sândalo

Terça-feira: Marte/Proteção, Força, Coragem, Energia Sexual, Cura
Pedras: heliotrópio, granada, ferro, pirita, rodocrosita, rodonita
Incenso/Óleos: sangue de dragão, pinho

Quarta-feira: Mercúrio/Comunicação, Viagem, Estudo
Pedras: aventurina, mica
Incenso/Óleo: lavanda, capim-limão, hortelã-pimenta

Quinta-feira: Júpiter/Prosperidade, Expansão
Pedras: ametista, lepidolita
Incenso/Óleo: anis-estrelado

Sexta-feira: Vênus/Amor, Abundância, Fertilidade, Beleza, Felicidade, Amizade
Pedras: azurita, crisocola, celestita, cobre, esmeralda, jade, lápis-lazúli, magnetita, malaquita, peridoto, sodalita, turquesa
Incenso/Óleos: rosa, hortelã, nardo, baunilha

Sábado: Saturno/Longevidade, Ancoragem, Sabedoria, Purificação
Pedras: lágrima de apache, hematita, azeviche, ônix, serpentina
Incenso/Óleos: patchuli

Associações planetárias

Júpiter: ametista, lepidolita, peltre, estanho

Lua: água-marinha, celestita, labradorita, pedra-da-lua, pérola, safira, selenita, prata

Marte: heliotrópio, pederneira, granada, ferro, pirita, jaspe vermelho, rodocrosita, rodonita, rubi

Mercúrio: ágata, aventurina, citrino, mica

Netuno: ametista, lepidolita, platina, turquesa

Saturno: lágrima de apache, galena, hematita, azeviche, obsidiana, ônix, sal, serpentina, turmalina (negra)

Sol: âmbar, latão, cornalina, citrino, diamante, ouro, enxofre, olho-de-tigre, topázio, zircônia

Urano: amazonita

Vênus: azurita, crisocola, crisoprásio, calcita (azul, rosa, verde), cobre, esmeralda, jade, lápis-lazúli, magnetita, malaquita, olivina (peridoto), sodalita, turmalina (azul, verde, rosa e melancia), turquesa

Pedras dos chakras

Chakra da Base
Cor: Vermelha
Pedras: ágata, heliotrópio, granada, hematita, ônix, jaspe vermelho, rodonita, rubi, olho-de-tigre, turmalina (negra)

Estimula a força vital; energia, vitalidade. Trabalhe com esse chakra se você precisa de ajuda para superar um vício, sofre de falta de libido ou se tem problemas digestivos. Essa região tem uma conexão com a natureza. Ligada a glândulas reprodutivas. Ancoragem. Elemento Terra. Morada da energia vital. Associado ao olfato.

Chakra do Sacro
Cor: Laranja
Pedras: cornalina, citrino, jaspe, pedra-da-lua, olho-de-tigre

Comanda os elementos líquidos do corpo. Trabalhe com esse chakra se você tem problemas com sexo, nutrição, circulação ou equilíbrio. Ligado à adrenalina: reação de fugir ou lutar (estresse). Criatividade, sexualidade, autoridade e poder. Elemento Água. Associado ao paladar.

Chakra do Plexo Solar
Cor: Amarelo
Pedras: quartzo aventurina, citrino, malaquita, quartzo rosa, olho-de-tigre, topázio

Trata o descontentamento, o desassossego e o desencorajamento; alimenta a paz interior. Elemento Fogo. Pâncreas, fígado, estômago: individualidade, poder pessoal, ligação entre emoções e a mente. Sistema digestivo e sistema nervoso autônomo. Associado à visão.

Chakra do Coração
Cor: Verde (às vezes rosa)
Pedras: aventurina, esmeralda, turmalina verde, jade, ágata musgo, olivina, rodocrosita, rodonita, quartzo rosa, turmalina melancia

Empatia, alegria, amizade, coração, compaixão, circulação, glândula do timo, sistema imunológico. Elemento Ar. Emoções "superiores": ternura, compaixão, amor incondicional, verdade universal. Rege o coração, os pulmões, a região superior do tórax, as costas e os brônquios.

Chakra da Laringe
Cor: Azul
Pedras: água-marinha, topázio azul, celestita, crisocola, lápis-lazúli, pedra-da-lua, opala, pérola, turquesa

Ajuda a estar aberto para novas experiências e a autoexpressão; rege a tireoide, a fome, a sede, os olhos, ouvidos, nariz, garganta, pulmões, voz e fala. Elemento éter. Comunicação: escrita, discurso e arte. Associado à audição.

Chakra do Terceiro Olho/Frontal
Cor: Índigo
Pedras: ametista, quartzo transparente, fluorita, lápis-lazúli, safira, sodalita

Compreensão e discernimento, intuição, autoconhecimento, percepção; olhos, nariz, rosto, sentidos; misticismo; energia telepática. Associado ao sexto sentido: intuição e sabedoria.

Chakra da Coroa
Cor: Violeta
Pedras: ametista, celestita, quartzo transparente, diamante, ouro, fluorita violeta

Evolução do eu interior, espiritualidade, esclarecimento; alma (perfeição do corpo, mente e espírito), energia cósmica. Transmutação.

Associações com os elementos

Água: ametista, água-marinha, azurita, ágata rendada azul, turmalina azul, celestita, crisocola, cobre, fósseis de animais marinhos e conchas, geodos, jade, labradorita, lápis-lazúli, lepidolita, magnetita, pedra-da-lua, pérola, platina, safira, prata, sodalita

Ar: aventurina, fluorita, fuchsita, mica, peltre, pedra-pomes, estanho

Fogo: âmbar, heliotrópio, latão, cornalina, citrino, diamante, granada, ouro, hematita, ferro, obsidiana (lágrima de apache), ônix, rodocrosita, rodonita, rubi, enxofre, olho-de-tigre, topázio, zircônia

Terra: ágata, amazonita, âmbar, bronzita, esmeralda, fósseis de plantas e animais terrestres, galena, granito, jaspe verde, azeviche, malaquita, olivina (peridoto), madeira petrificada, sal, turmalina (verde e negra), turquesa

Associações com as estações

Inverno: quartzo transparente, diamante, labradorita, pedra-da--lua, pérola, turquesa

Outono: safira, topázio, turmalina

Primavera: ametista, esmeralda, peridoto, topázio rosa

Verão: opala de fogo, granada, rubi

Pedras por uso

Aqui temos uma lista dos grupos de pedra normalmente usados com um propósito específico. Tenha em mente que existem diferenças sutis entre uma pedra e outra. Eu apontei algumas das mais importantes aqui. A princípio, consulte as referências rápidas por tópicos, então examine as propriedades específicas de cada pedra para fazer a melhor escolha.

Amor, harmonia, paz, beleza, esperança: quartzo transparente, esmeralda, galena, diamante de Herkimer, jaspe (beleza), opala, peridoto, rodocrosita, rodonita, quartzo rosa (amor universal/ gentileza), estilbita, unaquita (mais ancoragem que o quartzo rosa), turmalina melancia
Nota: A rodocrosita (mineral manganês) e a rodonita são frequentemente confundidas uma com a outra. Ambas podem ser usadas para o amor (as duas são regidas por Marte e pelo elemento Fogo, por isso têm mais força para encantamentos de amor que o quartzo rosa, pois são mais apropriadas para paixões). Ambas são usadas para equilibrar o amor. A rodoni-

ta é mais direcionada ao amor-próprio e o amor incondicional; a rodocrosita trás um novo amor à vida de quem a usa, pode facilitar curas terrenas e ajuda na aceitação. É uma pedra excelente para o equilíbrio. O *"rodo-"* em ambos os nomes refere-se à cor rosa. A rodocrosita é no geral mais bonita, normalmente riscada de calcita branca e pode formar cristais. A rodonita é mais dura e mais apropriada para a ancoragem. Ela é frequentemente associada à pirita e apresenta veias de magnésio negro; cristais de rodonita são raros.

Ancoragem, centramento, foco: ágata, turmalina negra, heliotrópio ("aqui e agora"), cornalina, fluorita, galena, hematita, ferro, jaspe, magnetita (direção/orientação), obsidiana, quartzo esfumaçado, olho-de-tigre

Atração/Luxúria: âmbar, cornalina

Capacidade psíquica, consciência, percepção, intuição: apatita, apofilita, azurita, calcita, celestita, hematita, diamante de Herkimer, cianita, labradorita, lápis-lazúli, pedra-da-lua, opala, peltre (divinação), fluorita roxa, prata, olho-de-tigre. Estimular o Terceiro Olho: ametista, apatita, apofilita, azurita, quartzo transparente, fluorita (roxa), diamante de Herkimer, iolita, cianita, lápis-lazúli, pedra-da-lua, opala, vulfenita

Comunicação: creedita (no reino espiritual), howlita, sodalita

Criatividade: apatita, água-marinha, aventurina, azurita, topázio azul, celestita, diamante, jade (nefrita), cianita, lápis-lazúli, sodalita, estilbita, olho-de-tigre, turquesa, fluorita amarela

Cura (geral): âmbar, heliotrópio (sangue), bronzita (emocional), calcita, celestita, quartzo transparente, ouro, diamante de Herkimer, ferro, jaspe (o cuidador supremo), pedra-da-lua (mulheres), peridoto, unaquita

Dispersão da negatividade, dissolução de bloqueios, aumento da energia positiva e felicidade: âmbar, apatita, turmalina negra, bornita ("pedra da felicidade"), calcita, celestita, quartzo transparente, cobre (condutor), dolomita, fluorita verde, gipsita, hematita, malaquita, obsidiana, peridoto, pirita, prata (condutor), quartzo esfumaçado, enxofre, olho-de-tigre, topázio, turquesa, jaspe zebra

Equilíbrio: apatita, aventurina, heliotrópio, bornita, celestita, quartzo transparente, dolomita, hematita, labradorita (aura), magnetita, pedra-da-lua, ônix, platina, rodocrosita, prata, quartzo esfumaçado, olho-de-tigre, quartzo turmalinado, turquesa, unaquita, turmalina melancia

Espiritualidade: ametista, apofilita, água-marinha, celestita, quiastolita (durante uma doença), quartzo transparente, creedita (comunicação no reino espiritual), diamante, opala, turquesa (busca/jornada por visão)

Estresse/alívio de ansiedade e de distúrbios emocionais, relaxamento, calmante: ágata, amazonita, ametista, aventurina, azurita, fluorita azul, bornita, cobre, diamante, jaspe, diamante de Herkimer, cianita, labradorita, malaquita, pedra da luz, ônix, madeira petrificada (para trabalhar ambientes), platina, rodonita, quartzo rosa, prata, turquesa, unaquita, turmalina melancia

Fertilidade: grossulária, gipsita, quartzo rosa

Força, coragem, confiança, autoestima: ágata, água-marinha ("pedra da coragem"), azurita, barita rosa, citrino, cobre (autoestima), granada, ferro, jaspe (coragem), lápis-lazúli, sodalita, topázio, jaspe zebra (resistência física)

Intelecto, sabedoria, acuidade mental: apatita, água-marinha, heliotrópio (decisões), calcita, cornalina, celestita, citrino, quartzo transparente, fluorita, hematita, diamante de Herkimer, jade, lápis-lazúli, quartzo leitoso, pirita (memória), quartzo rutilado, prata, sodalita, olho-de-tigre, topázio, quartzo turmalinado, vanadinita, jaspe zebra

Limpeza/Purificação: fluorita azul (aura), crisocola (casa), citrino, quartzo transparente, ouro, fluorita verde, diamante de Herkimer, cianita

Meditação: ametista, azurita, quartzo transparente, fluorita, madeira petrificada (vidas passadas), rodocrosita, serpentina, quartzo esfumaçado, obsidiana nevada, vanadinita

Prosperidade/Sucesso: aventurina, latão, citrino, diamante, esmeralda, ouro, malaquita, peltre, rodonita (potencial de alcance), olho-de-tigre

Proteção: ágata, turmalina negra, latão, quartzo transparente, granada, ferro, jade, lepidolita (pesadelos), malaquita (viagem aérea), pedra-da-lua (viagem), obsidiana, olho-de-tigre, turquesa

Recuperação de objetos perdidos: peridoto

Saúde/Longevidade: ágata, latão, granada, jade, lápis-lazúli (sistema imunológico), pirita, rodocrosita, olho-de-tigre, topázio

Sono/Sonhos: ametista, celestita, granada, jade, lepidolita (protege contra pesadelos), mica, quartzo leitoso, sodalita, topázio

Sorte: aventurina, gipsita, jaspe, peltre, topázio

Transições/Transformação, conforto, autorreflexão: ametista, lágrima de apache, quiastolita, lepidolita, malaquita, mica, madeira petrificada, rodocrosita, enxofre, estanho (recomeços)

Viagens: apofilita (astral), quiastolita (astral), pedra-da-lua, turquesa (jornadas xamânicas/visões)

Cores

Esta lista inclui as informações básicas sobre o uso de cores na magia, assim como algumas correspondências com a numerologia, mescladas com a sabedoria popular. A cor de uma pedra geralmente indica de que maneira ela deve ser usada na magia.

O **vermelho** sempre foi associado às paixões, provavelmente porque o nosso sangue é vermelho. Também é usado para denotar realeza, poder e liderança, e para simbolizar a guerra e a vingança. O vermelho é vinculado ao número 9 na numerologia, e está associado ao deus Marte. Os raios de cor vermelho transmitem calor, por isso não é de se admirar que o vermelho, uma cor "quente", tenha esse sentido associado a ele. Outras características associadas ao vermelho são: energia física, força, sexualidade, atividade, sobrevivência e paixão.

O **laranja** pode ser usado para derrubar bloqueios e barreiras para uma meta. Ele é, em essência, vermelho misturado a amarelo e costuma ser uma cor eficaz para cura, por conter a força do vermelho com a suavidade do amarelo, cor do sol. As características do laranja são: vitalidade, ambição, criatividade e redução do estresse. Ele não tem associações numéricas.

O **amarelo** e o ouro são associados há tempos com o sol e os atributos positivos dos raios solares, que presenteiam com a vida. Outras palavras-chave: otimismo, sucesso, satisfação, generosidade, organização e ordem. Ele não tem associações numéricas.

Frequentemente, o **verde** é considerado a cor mais agradável de se ver: o verde viçoso das florestas e plantas simbolizam a fertilidade e normalmente associa-se o verde à representação da esperança, da felicidade e da mudança. Associado ao número 5 e ao deus Mercúrio (algumas fontes associam-no também com a deusa Vênus). O verde costuma ser usado para representar a natureza e, por ser agradável aos olhos, acredita-se que ele cura doenças relacionadas à visão. Também caracterizam-no amizade, liberdade, harmonia, paz, empatia, renovação e adaptação.

O **azul** é há muito tempo o símbolo do céu. Ele é associado à beleza, à deusa Vênus e ao número 6. O azul é também associado à sabedoria e espiritualidade, fé, lealdade, responsabilidade, respeito, entendimento e a um fluxo suave de comunicação (devido à sua relação com o chakra laríngeo); às vezes é usado para estimular a inspiração. Uma cor calmante, suave e cheia de frescor.

O **violeta** é às vezes ligado à justiça e ao julgamento, também à realeza e à indústria. Ele é associado à idade e sabedoria, ao deus Júpiter e ao número 3. Além disso, tons de roxo e violeta representam espiritualidade, intuição, transformação, determinação e devoção. Pense que essa cor, especialmente os seus tons mais escuros, contém as características do vermelho combinadas às do azul. Isso quer dizer que o roxo contém o frescor do azul com o calor e a energia do vermelho.

O **branco** ou as pedras sem cor (e pérolas) parecem sempre estar ligadas à lua. Às vezes, porém, o diamante, devido ao seu brilho radiante, era associado ao sol. O branco também representa a pureza e a amizade. Em algumas culturas, branco é a cor do luto. O branco está ligado ao número 7. Representa também pureza, sinceridade, verdade, inocência, perfeição e imortalidade. Ele contém potencial, por ser o espectro completo de todas as cores. Também é frequentemente usado para representar espiritualidade.

O **preto** é a cor da sobriedade e da sabedoria, também é a cor do luto em algumas sociedades. Ele é usualmente associado a Saturno e ao número 8. Outras características são: elegância, segurança, desapego e reclusão. Branco e preto são verdadeiros opostos, ainda que similares de certa forma: o preto contém todas as cores e absorve-as. Como o branco também contém todas as cores, eles têm esse traço em comum, ainda que o preto capte todas as cores enquanto o branco as reflita. O preto representa descanso e repouso, a jornada interior, a alma (em oposição à luz pura e branca do espírito, expressão e exaltação externa). O preto e o branco são mais comumente vistos juntos no símbolo do yin e yang. O preto também representa coisas ocultas, um tempo de dormência e preparação para o crescimento. Ele também é bom para ancoragem e proteção.

Formas

Círculo: continuidade, espiritualidade, conexão, ciclos

Espiral: crescimento e movimento (nosso DNA forma espirais; a espiral do DNA é uma proporção áurea)

Quadrado: ordem, estabilidade, quatro direções

Triângulo: trindade, corpo-mente-espírito

Glossário

Alquimia: Prática provavelmente iniciada pelos taoistas na China e pelos Pitagóricos na Grécia depois do século VI a.C. O objetivo era transformar em ouro substâncias tão comuns quanto o metal. Essa prática, que envolvia transformar substâncias líquidas em gasosas e novamente em líquidas, deu origem ao processo de destilação.

Amorfo: Literalmente, "sem forma"; aplica-se a rochas e minerais que carecem de estrutura cristalina definida.

Amuleto: Item mágico que se usa ou carrega para proteção ou para repelir algo (como negatividade). Ver *talismã*.

Aromaterapia: O uso de óleos essenciais de plantas para causar bem-estar. Os aromas são inalados ou usados para banho ou massagem.

Arquétipo: De acordo com Carl Jung, símbolos de instintos, impulsos, características, etc., humanos e universais, que se tornaram a ideia coletiva que deu origem aos mitos.

Aura: Campo de energia sutil que cerca pessoas e objetos Ver também *corpos sutis*.

Carregar: Na magia, fazer projeção mental de um tipo específico de energia num objeto.

Clivagem: A propriedade mineral que faz com que um cristal se quebre em contato com uma superfície plana e lisa.

Condução: Na ciência, a transferência de calor por movimento das moléculas de uma região de alta temperatura para outra de baixa temperatura.

Consagrar: Dedicar um item ou lugar para que se torne sagrado ou seja usado para um propósito especial.

Corpos sutis: Na magia e na cura com cristais, as energias que cercam o corpo: etérea, mais próxima do corpo físico; emocional, sentimentos; mental, pensamentos e processo mental; astral, personalidade; causal, liga a personalidade ao inconsciente coletivo; da alma ou celestial é o eu superior; e a espiritual dá acesso à energia universal, mas ainda assim individual.

Cristal: Material sólido com configuração atômica ordenada.

Cristal de chumbo: Um tipo de vidro que contém uma proporção alta de chumbo no quartzo cristalizado, usado especificamente em itens decorativos.

Defumação: Ritual de purificação de um objeto ou lugar que usa a fumaça da queima de ervas e/ou resinas.

Efeito olho-de-gato (*chatoyancy*): Inclusões fibrosas (geralmente de rutilo mineral) numa pedra, que fazem com que ela lembre um olho. Pode ser visto em muitos tipos de pedra, incluindo crisoberilo, berilo (água-marinha), quartzo (olho-de-tigre), turmalina, pedra-da-lua. Esse padrão natural também pode ser artificialmente criado no vidro. Às vezes essas inclusões criam um efeito de estrela, chamado asterismo. O que causa isso é a reflexão da luz. As pedras são normalmente lapidadas no estilo cabochão para destacar esse efeito.

Efeito piezelétrico: A geração de carga elétrica quando pressão é aplicada a um material não condutor. É o que torna o quartzo eficaz em relógios.

Elemento: Na magia, refere-se aos quatro elementos clássicos: Terra, Ar, Fogo e Água, sem os quais a vida como conhecemos não seria possível. O Espírito é às vezes considerado o quinto elemento.

Elixir: Em relação aos elixires de cristais mágicos, mergulhar uma pedra na água por um período de tempo, infundindo a água com a energia metafísica do cristal.

Escriação: Processo de divinação que envolve encarar um cristal, água ou outro meio de ver imagens e símbolos.

Espectro: Radiação (normalmente luz visível) dividida nos comprimentos de onda que a compõem.

Espevitadeira: Objeto em forma de sino ou domo, normalmente ligado à extremidade de um bastão ou varinha, usado para extinguir a chama de uma vela.

Essência: Como um elixir, mas feito para armazenamento em longo prazo, graças ao uso de um conservante, como álcool ou vinagre.

Fóssil: Os resquícios de uma planta ou animal sedimentados. Fósseis são as partes mais rígidas do corpo de um animal, que sobreviveram ao tempo, ou a impressão do corpo no sedimento.

Hábito cristalino: A forma verdadeira de um cristal; determinada pelo formato e proporção relativa das faces do cristal.

Infusão: Um extrato obtido ao se mergulhar matéria vegetal em água quente.

Magma: Material ardente, fundido, encontrado bem abaixo da superfície, geralmente associado a erupções vulcânicas. O magma acima da superfície é chamado de lava.

Magnetismo: Um campo magnético é um campo de forças de atração ou repulsão gerado pelo movimento ou rotação de cargas elétricas. A magnetita é um minério natural que contém grande quantidade de ferro e às vezes é magnetizado pelo campo magnético da Terra.

Mandala: No Budismo e no Hinduísmo, um diagrama com significado ritual e/ou espiritual. *Mandala* é a palavra em sânscrito para "círculo".

Mantra: Som, sílaba ou palavras que são repetidas como um cântico ou afirmação, tendo como objetivo a transformação, nas práticas religiosas orientais.

Mão dominante/projetiva: Na magia, a mão com que você escreve ou que usa com mais frequência. Usada para projetar energia.

Mão receptiva: Na magia, a mão não usada para escrever, ou usada com menos frequência. Utilizada para receber energia.

Metafísica: O estudo filosófico das causas fundamentais e da natureza oculta das coisas.

Metal: Elementos sólidos (à exceção do mercúrio, o único metal líquido) com pontos de fusão alto; bons condutores de eletricidade; reluzentes em sua maioria.

Mineral: Substância cristalina naturalmente formada, em geral inorgânica, com propriedades químicas e físicas características determinadas pela sua composição e estrutura interna.

Minério: Mineral ou rocha que contém metal, ou metal nativo, em geral extraído para gerar lucro; produto mineral ou natural fonte de alguma substância não metálica, como enxofre.

Neopaganismo: "Novo" Paganismo; refere-se às crenças religiosas politeístas modernas, incluindo Wicca e a Bruxaria moderna.

Nova Era: Termo frequentemente usado para se referir a crenças e práticas ecléticas que cresceram em popularidade nos Estados Unidos durante os anos 1960 e 1970 e que ainda hoje praticadas: um compilado de técnicas esotéricas e espirituais que misturam filosofias orientais e ocidentais, antigas e modernas. Frequentemente abarcam astrologia, cura com cristais, meditação transcendental, aromaterapia etc.

Orgânico: Pertencente ou derivado da vida, normalmente em referência a organismo. Quimicamente, um composto orgânico tem hidrogênio ou nitrogênio diretamente ligado a um carbono.

Polimorfo: O mesmo composto químico que se cristaliza em formas diferentes.

Proporção Áurea: Também chamada de Número de Ouro, Número Áureo e Proporção de Ouro. Um retângulo dourado sempre pode ser dividido num quadrado e em outro retângulo dourado, infinitas vezes. A chave para esse formato especial é a razão entre a altura e a largura. Essa proporção, acredita-se, é especialmente agradável de se olhar, e encontrada em muitos objetos naturais. Também pode ser identificada em muitas obras de arte e da arquitetura.

Radiação: A emissão ou propagação de energia radiante — atômica, através de substâncias radioativas, ou espectral, como na luz.

Runas: Sistema de escrita antigo originado no Norte Europeu.

Sabá: Oito datas anuais sagradas que os Wiccanos celebram, com base nas transformações sazonais.

Sachê: Bolsa pequena normalmente cheia de pó perfumado ou outro material aromático como ervas e flores secas.

Sequência de Fibonacci: Padrão descoberto no século XII por Leonardo Fibonacci. Sequência de números inteiros na qual cada termo corresponde à soma dos dois termos anteriores: 1, 2, 3, 5, 8, 13, 21, 34, 55 e assim por diante. Esse padrão ocorre na natureza em muitas ocasiões: nas sementes das flores, na espiral de pinhas e abacaxis e na organização dos talos e folhas nas plantas.

Simetria cristalina: O padrão repetido das faces do cristal, causado pela configuração ordenada interna dos átomos de um mineral.

Sistema cristalino: A estrutura ou configuração dos átomos na estrutura interna de um cristal.

Talismã: Item mágico carregado, usado na roupa ou feito para atrair algo, como boa sorte.

Translúcido: Meios sólidos ou líquidos através dos quais a luz viaja, mas não se forma uma imagem clara. Vidro fosco é translúcido.

Transparente: Meios sólidos ou líquidos através dos quais a luz viaja e se forma uma imagem clara. Janelas de vidro são transparentes.

Xamã: Normalmente, homem ou mulher que realiza curas numa tribo ou clã; alguém que pratica artes espirituais e curativas, divinação e comunicação com o mundo espiritual.

Yin e Yang: na filosofia chinesa, Yin é a "escuridão" e Yang é a "luz", vistos como poderes cósmicos que interagem para a criação de tudo que existe no universo. Não são o escuro e a luz literais, mas a união dos opostos que dependem um do outro: luz e sombra, úmido e seco, masculino e feminino. Yin é o feminino e Yang o masculino.

Bibliografia

Aveni, Anthony. *Behind the Crystal Ball: Magic, Science, and the Occult from Antiquity Through the New Age.* Boulder, CO: University Press of Colorado, 2002.

_____. *Conversing with the Planets: How Science and Myth Invented the Cosmos.* Boulder, CO: University of Colorado Press, 2002.

Barnes-Svarney, Patricia (org.). *The New York Public Library Science Desk Reference.* Nova York: MacMillian, 1995.

Benner, Rev. Bette Jo. "Alchemy". www.denverspiritualcommunity.com.

Bishop, A. C., A. R. Woolley e W. R. Hamilton. *Guide to Minerals, Rocks and Fossils.* Nova York: Firefly Books, 2005.

Bruce-Mitford, Miranda. *The Illustrated Book of Signs and Symbols.* Nova York: Barnes and Noble Books, 2004.

Buchan, Jamie. *Easy as Pi: The Countless Ways We Use Numbers Every Day.* Pleasantville, NY: Reader's Digest Books, 2009.

Chesterman, Charles W. e Kurt E. Lowe. *National Audubon Society Field Guide to North American Rocks and Minerals.* Nova York: Knopf, 1979.

Cunningham, Scott. *Cunningham's Encyclopedia of Crystal, Gem, and Metal Magic.* St. Paul, MN: Llewellyn Worldwide, 1992.

Dietrich, R. V. e Brian J. Skinner. *Gems, Granites and Gravels.* Cambridge, Reino Unido: Cambridge University Press, 1990.

Dubin, Lois Sherr. *North American Indian Jewelry and Adornment*. Nova York: Harry N. Abrams, 1999.

Dunne, Brenda J. e Robert G. Jahn. "Consciousness and Anomalous Physical Phenomena." Pesquisa de Anomalias da Escola de Engenharia e Ciência Aplicada, Universidade de Princeton. http://www.princeton.edu/~pear/pdfs/1995-consciousness-anomalous-physical-phenomena.pdf.

Eid, Alain. *1000 Photos of Minerals and Fossils*. Nova York: Barron's Educational Series, 1998.

Elsbeth, Marguerite. *Crystal Medicine*. St. Paul, MN: Llewellyn Worldwide, 2000.

Emoto, Masaru. Traduzido por David A. Thayne. *The Hidden Messages in Water*. Hillsboro, OR: Beyond Words Publishing, 2004. [*Mensagens Ocultas na Água*. São Paulo: Cultrix, 2009.]

Erickson, Jon. *An Introduction to Fossils and Minerals*. Nova York: Facts on File, 2000.

"Fibonatti Numbers in Nature and the Golden Ratio." World-Mysteries.com.

Gillotte, Galen. *Sacred Stones of the Goddess*. St. Paul, MN: Llewellyn Worldwide, 2003.

Goodman, Linda. *Linda Goodman's Star Signs*. Nova York: St. Martin's Press, 1997.

Grande, Lance, e Allison Augustyn. *Gems and Gemstones: Timeless Natural Beauty of the Mineral World*. Chicago. University of Chicago Press, 2009.

Gubelin, Eduard e Franz-Xaver Erni. *Gemstones: Symbols of Beauty and Power*. Tucson, AZ: Geoscience Press, 2000.

Guhr, Andreas e Jorg Nagler. *Crystal Power: Mythology and History*. Baden-Baden, Alemanha: Earthdancer Books, 2006.

Haagensen, Erling e Henry Lincoln. *The Templars' Secret Island*. Nova York: Barnes and Noble Books, 2002.

Hall, Manly P. *The Secret Teachings of All Ages*. Nova York: Tarcher-Penguin, 2003.

Harton, Robyn A. "Potentially Toxic or Harmful Stones." www.crystalsandjewelry.com.

Johnson, Ole. *Minerals of World*. Nova Jersey: Princeton University Press, 1994.

Jones, Wendy e Barry Jones. *The Magic of Crystals*. Nova York: HarperCollins, 1996.

Jung, Carl G., M. L. von Franz, Joseph L. Henderson, Jolande Jacobi e Aniela Jaffe. *Man and His Symbols*. Nova York: Laurel, 1964.

Krauskopf, Konrad B. e Arthur Beiser. *The Physical Universe*. 9ª edição. Nova York: McGraw Hill, 2000.

Kunz, George Frederick. *The Curious Lore of Precious Stones*. Nova York: Bell Publihing, 1989.

Lilly, Simon. *The Complete Illustrated Guide to Crystal Healing*. Nova York: HarperCollins, 2002.

Marriott, Susannah. *Witches, Sirens and Soothsayers*. Londres: Spruce, 2008.

Martineau, John (org.). *Quadrivium: The Four Classical Liberal Arts of Number, Geometry, Music, and Cosmology*. Nova York: Walker e Co., 2010.

Melody. *Love is in the Earth: A Kaleidoscope of Crystals*. Wheat Ridge, CO: Earth-Love Publishing, 1995.

Molyneaux, Brian Leigh. *The Sacred Earth*. Londres: Duncan Baird, 1995.

Parker, Julia e Derek Parker. *Astrology*. Nova York: Dorling Kindersley, 2007.

Peschek-Bohmer, Flora e Gisela Schreiber. *Healing Crystals and Gemstones*. Old Saybrook, CT: Konecky e Konecky, 2003.

Pollack, Rachel. *The Complete Illustrated Guide to Tarot*. Londres: HarperCollins, 2001.

The Quartz Page. http://www.quartzpage.de/gro_text.html.

Rockhounding Arkansas. 2011. http://www.rockhoundingar.com/types.php.

Roob, Alexander. *Alchemy and Mysticism*. Londres: Taschen, 2009.

Simpson, Liz. *The Book of Crystal Healing*. Nova York: Sterling Publishing, 1997.

Smigel, Barbara. "Fossilized Plant Material as Gems." www.bwsmigel.info.

Smith, Karl J. *The Nature of Mathematics*. 8ª edição. Pacific Grove, CA: Brooks Cole, 1998.

Sofianides, Anna S. e George E. Harlow. *Gems and Crystals*. Nova York: Simon & Schuster, 1990.

"Working with Crystals." Peacefulmind.com.